MARIA TREBEN

# Maria Treben's Heilerfolge

Briefe und Berichte von Heilerfolgen
mit dem Kräuterbuch »Gesundheit aus der Apotheke Gottes«

VERLAG WILHELM ENNSTHALER, STEYR

MARIA TREBEN

Umschlagbild und Farbtafeln von Robert SCHÖLLER, akad. Maler, Wien


1. Auflage 1980 — 00. bis 10. Tausend
2. erweiterte Auflage 1980 — 10. bis 20. Tausend
3. Auflage 1981 — 20. bis 25. Tausend
4. erweiterte und überarbeitete Auflage 1981 — 25. bis 35. Tausend
5. erweiterte Auflage 1981 — 35. bis 50. Tausend
6. Auflage 1982 — 50. bis 60. Tausend
7. überarbeitete Auflage 1982 — 60. bis 70. Tausend
8. Auflage 1982 — 70. bis 90. Tausend


ISBN 3 85068 082 7

# VORWORT

Es ist für mich eine große Freude, daß auf Grund meines Kräuterbuches »Gesundheit aus der Apotheke Gottes« so viele Heilerfolge auf mich zukommen. Eine Auswahl will ich Ihnen nachfolgend vor Augen führen, aber vor allem darauf hinweisen, daß der große Erfolg nicht nur durch mich geschieht, sondern durch die Güte des Allmächtigen, der seit urdenklichen Zeiten uns die Heilkräuter schenkte. Erst in der heutigen Zeit, wo unheilbare Krankheiten größten Raum einnehmen, werden sie von der Menschheit wieder geschätzt. Was für ein Segen für Krebs- oder Multiple Sklerose-Erkrankte, für Querschnittgelähmte, gelähmte und behinderte Kinder, daß es die Heilkräuter gibt! Wir müssen unserem Schöpfer danken, daß ER uns in Not und Krankheit nicht im Stich läßt, sondern durch Heilkräuter uns Trost, Mut und neue Hoffnung schenkt! Auch der Segen und die besondere Gnade unserer himmlischen Mutter liegt auf ihnen in einer solchen Tiefe und Heiligkeit, daß man es beim Pflücken der Kräuter ganz wunderbar empfindet.

Viele Menschen, die durch Heilkräuter ihre Gesundheit wiedererlangten, finden zum Glauben, zu Gott zurück, weil sie in dem Augenblick, wo sie ärztlicherseits keine Hilfe mehr erwarten durften, in ihrer Verlassenheit gerade die Hilfe Gottes zutiefst verspürten. Alle können wir aus ganzem Herzen danken, daß es Heilkräuter aus Gottes Apotheke gibt.

Es drängt mich, auch jenen zu danken, die sich uneigennützig in den Dienst der Heilkräutersache stellen. Angeregt durch meine Broschüre »Gesundheit aus der Apotheke Gottes« sind sie von dem Gedanken beseelt, anderen zu helfen, ihre Kenntnisse über Heilkräuter zum Wohle vieler Kranken weiterzutragen. So wünsche ich mir weiterhin gute Zusammenarbeit mit jenen hilfsbereiten Menschen, die ihre Erfolge an mich weiterleiten, um sie einer größeren Öffentlichkeit zuzuführen. Die hier veröffentlichten Beiträge sind zum Großteil Auszüge aus Briefen, die mir aus allen Bevölkerungsschichten zugehen. Sie sollen zum Segen aller Kranken und Mutlosen dazu beitragen, aus den Erfolgen anderer neuen Lebensmut und neue Hoffnung zu schöpfen.

Zum Abschluß möchte ich informativ hinzufügen, daß ich am 20. April 1980 meinen Vertrag mit dem Verein »Freunde der Heilkräuter«, Karlstein (NÖ.), auf dem Rechtswege beendet habe. Die nun veraltete Broschüre des Vereins »Gesundheit aus der Apotheke Gottes« durfte von ihm nur bis zu diesem Zeitpunkt ausgeliefert werden. Inzwischen ist im Verlag W. Ennsthaler, Steyr (OÖ.), ab 15. Juni 1980 eine neu bearbeitete und erweiterte »Gesundheit aus der Apotheke Gottes« herausgekommen, die alle **meine Erfahrungen in verständlicher Form beinhaltet.** Ein gründlich erarbeitetes Stichwortverzeichnis informiert Sie mühelos über den Inhalt. Deshalb meine Bitte: **Bei Anfragen rufen Sie mich weder an, noch schreiben Sie mir Briefe! Als Nicht-Heilpraktikerin nehme ich auch keine Besuche an!**

Und noch etwas: Ich habe **keinen Kräuterversand und übernehme auch keine Kräuterbestellungen!** Kräuterhandlungen, Apotheken, Drogerien und Reformhäuser stehen Ihnen in dieser Richtung zur Verfügung.

MARIA TREBEN

# AUS EINEM ALTEN KRÄUTERBUCH (aus dem Jahre 1896):

**RINGEL-, GOLD- oder TOTENBLUME,** manchmal auch **Regenblume** genannt, weil sie, wie wir wissen, eine Wetterprophetin ist und Regen verkündet, wenn sie die Fensterchen ihres Häuschens bis acht Uhr morgens nicht öffnet.

Diese Blume besitzt weder Anmut noch Schönheit und ihr starker, durchdringend-aromatischer Geruch ist für die meisten Menschen höchst unangenehm. Aber sie scheint deren Gesellschaft sehr zu lieben, denn sie hängt sich mit wahrhaft heldenmütiger Ausdauer an ihre Schritte, vermehrt sich in Gärten in geradezu staunenswerter Weise, überschreitet daselbst die um ihren Standort gezogenen Grenzen, mischt sich unter Rüben und Salat, wächst auf den Wegen, geht mit den Abfällen in die Düngergruben, faßt auch dort Fuß und entwickelt sich da erst recht üppig, sendet Ansiedler auf einen nahen Schutthaufen oder in einen Winkel des Hofraumes, wo dieselben fröhlich und sorglos dem Leben und Treiben um sie her zuschauen, läßt sich im Dünger und Schutt auf die Äcker tragen, fühlt sich dort unter dem Ährendache sehr heimisch und bittet schließlich noch den Wind: »Führe mich über die Kirchhofmauer, denn ich muß die Gräber schmücken.« Wenn wir dann in den schönen Sommertagen kommen, um unsere Heimgegangenen zu besuchen, da sehen wir wieder diese schwefelgelbe Strahlenblume wie eine Wächterin am Grabe stehen, wo sie uns zu sagen scheint: »Fürchte nichts, ich bin hier, denn ich bin getreu bis in den Tod!« Zugleich aber scheint ihr vorwurfsvoller Blick uns auch zu fragen: »Warum hast du mich verschmäht? Siehe, ich bin dir gefolgt auf allen deinen Wegen unter deine Tritte habe ich mich geworfen, auf daß du meiner dich erinnern solltest. Hättest du Hilfe von mir verlangt, so würdest du jetzt vielleicht nicht an diesem Grabe stehen und weinen! ...«

So spricht die Ringelblume und sie hat recht. Denn wohl oder übel: wir müssen uns bequemen, dieselbe als eine ausgezeichnete Heilpflanze zu schätzen und zu achten, weil der Erfahrung des täglichen Lebens hierüber sich die Autorität medizinischer Berühmtheiten zur Seite stellt, welche die Ringelblume, die bitteren Extraktivstoffe, Öle, Gummi und Salze enthält und scharf, salzig und bitterlich-herbe schmeckt, zu den besten bitteren zusammenziehenden und zugleich auflösenden und schweißtreibenden Mitteln zählen. In ihren Wirkungen ist sie nicht heftig und ermüdend, was sie aber heilt, das heilt sie sicher und gut.

**ANWENDUNGEN:** Der günstige Einfluß der Ringelblume erstreckt sich namentlich auf **krebsartige** und **skrofulöse Geschwüre** und **Eiterungen, verhärtete Drüsen,** auf **Magenkrämpfe,** auch mit heftigem **Erbrechen;** ferner auf **Unterleibsstockungen, Verwundungen, Verletzungen** und Schäden. Wer also an einem dieser Übel leidet, der gebrauche mit Vertrauen den Ringelblumentee, welcher aus frischem Kraute samt Knospen gemacht wird. Man verwendet zur Bereitung desselben nicht mehr als 2 Gramm der Pflanze auf einen Schoppen Wasser, oder besser Milch, und genießt zwei- bis dreimal des Tages.

Angenehmer zum Gebrauche ist vielleicht der aus derselben gepreßte Saft oder Extrakt, wovon man täglich zwei Eßlöffel voll in Wein oder ein wenig gewärmter und gezuckerter Milch nehmen kann. Bald wird – namentlich bei **Unterleibsstörungen** – der Gebrauch dieses Tees oder Extraktes die regelmäßige Funktion der verschiedenen Organe und hiermit auch die Gesundheit wieder zurückrufen.

Äußere Schäden, wie **Brustkrebs, skrofulöse Geschwüre, Drüsenverhärtung** und dergleichen verlangen neben der innerlichen Medikation auch eine örtliche äußerliche Behandlung und zwar das letztere Leiden besonders den Ringelblumenabsud zu erweichenden Umschlägen oder aber auch wie die um sich fressenden **Geschwüre** die Ringelblumensalbe.

**Wunden** usw. werden mit Ringelblumenabsud des öfteren ausgewaschen und dann mit der Salbe behandelt. Auch die Ringelblumentinktur erwies sich hierbei als sehr heilsam. Sie ist in den Apotheken erhältlich und schließt die Wunden ohne Entzündung und Eiterung.

Wenn man das zerstoßene Kraut – häufig erneuert – auf **Warzen, Hühneraugen** und **Schwielen** legt, verschwinden dieselben oder fallen ab.

Durch das Trocknen verliert die Ringelblume einen großen Teil ihrer wirksamen Bestandteile. Sie wird daher meistens nur in frischem Zustand verwendet; ist sie ja doch von Ende Mai bis in den Winter hinein leicht zu haben. In Ermangelung der Pflanze selbst wendet man den Extrakt an, nimmt aber nur die Hälfte des zum Tee bestimmten Quantums. – Die Ringelblume ist nichts weniger als eine »feine Blume«; aber wir werden wohl daran tun, ihre Alltäglichkeit zu vergessen, um der wahrhaft ausnahmsweise schätzbaren Dienst willen, die sie uns zu erweisen vermag.

# ERFAHRUNGEN

Bei allen **Durchblutungsstörungen** ist die Brennessel der beste Helfer.

Durch einen verzweifelten Anruf einer Frau aus der Bundesrepublik erfuhr ich, daß bei ihrem Mann eine verstopfte Herzvene mit einer gesunden Beinvene ausgetauscht werden soll. Eine solche Operation geht auf Leben oder Tod. Ich riet zu Brennesselabsud, der Gefäßverengungen und Durchblutungsstörungen behebt. Der Oberkörper wird über die Badewanne geneigt, um die Herzgegend mit lauwarmem Absud mehrmals am Tag zu bespülen. Kaum 14 Tage später bekomme ich von der gleichen, jetzt jedoch glücklichen Frau den Anruf, daß bei ihrem Mann nach einer ärztlichen Kontrolle eine normal funktionierende Herzvene festgestellt wurde und er die Belastungsprobe mit dem Fahrrad gut bestand.

———

Eine Ordensschwester aus der BRD hatte eine **verstopfte Augenvene**, wobei sich das kranke Auge um 2 mm verschoben hatte. Man vermutete einen Tumor hinter dem Auge, der die plötzlich auftretenden Sehstörungen auslöse. Eine sehr, sehr schmerzhafte Untersuchung stellte dann eine verstopfte Augenvene fest. – Ich riet zu Waschungen und Umschlägen mit lauwarmem Brennesselabsud. In kurzer Zeit hatte sich das Auge normalisiert.

———

*Eine Frau aus Heilbronn berichtet mir:*

»Unsere 95-jährige rüstige Oma hatte seit 9 Monaten beide Hände zur Faust geschlossen und konnte sie nicht öffnen. In dieser Zeit war sie in Behandlung einer Ärztin, die sich sehr viel Mühe gab und alles versuchte, um der Frau zu helfen. Dann meinte sie: ‚Es tut mir leid, aber Ihre Oma muß sich diese Hände behalten.‘ Tage später kam ein Tonband von einem Ihrer Vorträge in unser Haus. Aus diesem hörten wir, daß frische, grüne Brennessel jede **Durchblutungsstörung** nehmen. So wurden nun Handbäder mit Brennesselabsud gemacht. Die Überraschung war groß als in einer Woche unsere Oma ihre Hände normal öffnen konnte. Sie könne sogar jetzt wieder kleine Näh- und Hausarbeiten verrichten.«

———

Eine Dame, die drei Jahre lang mit einer schmerzhaften **Ischias** in ärztlicher Behandlung stand, hat nach sechs Brennessel-Vollbädern im Laufe eines halben Jahres alle Schmerzen verloren.

———

Ein Pfarrer aus dem Burgenland besucht mich alljährlich während seiner Kur im benachbarten Gallspach. Beim letzten Mal brachte er seine Pfarrhaushälterin mit, die mir erzählte, ihre 23-jährige Nichte hätte seit Geburt einen **Gehörfehler**. Da sie sich verheiraten wollte, fuhr sie zur Beratung in die Wiener Universitätsklinik. Sie wollte wissen, ob sie vielleicht durch einen operativen Eingriff ihr Gehör wenigstens zum Teil wieder erlangen könne.

Nach Untersuchungen wurde ihr erklärt, daß ihr Gehörleiden irreparabel sei. Ihre Tante, also die Pfarrhaushälterin aus dem Burgenland, meinte, sie solle es doch nach meinen Anweisungen in der ‚Apotheke Gottes‘ mit den Schwedenkräutern versuchen. (Man führt einen mit Schwedenbitter befeuchteten Finger mehrmals am Tage in den Gehörgang.) Es klingt wie ein Wunder: in 14 Tagen war ihr Gehör normal.

———

Im Oktober 1977 hielt ich bei einem Seminar im Hippolyt-Haus in St. Pölten, NÖ., einen Vortrag. Vorher kam eine 24-jährige Frau mit ihrem Mann zu mir. Ich bemerkte, daß dieser Frau ein äußerst unangenehmer Geruch anhaftete. Der Mann erzählte mir, daß nach einer rechtsseitigen Brustamputation bei seiner Frau schwerste **Bestrahlungsschäden** aufgetreten sind. Der Hausarzt meinte, ärztlicherseits gäbe es keine Hilfe mehr. Wenn noch jemand helfen könnte, dann nur der Herrgott. Seine Frau wüßte jedoch von ihrem ernsten Zustand nichts. Nach dem Gespräch mit ihrem Mann zeigte mir die junge Frau ihre Bestrahlungsschäden. Mir lief es kalt über den Rücken. Vom Schlüsselbein abwärts über die rechte Brust war eine breite, offene Wunde, aus der sich Krebswucherungen hervorhoben, die einen entsetzlichen Gestank verbreiteten. Auf den Wucherungen saßen eiterähnliche, gelbliche Schaumkronen, bei denen es sich jedoch um abgestorbenes Gewebe handelte. Aus der Wunde, die in einem faustgroßen Loch beim Brustbein, das offen vor mir lag, endete, rann übelriechendes Sekret.

Ich habe dieser Frau Mut zugesprochen, der Herrgott würde ihr durch seine Heilkräuter bestimmt helfen, obwohl ich selbst zweifelte. Ich riet zu ständigen Zinnkrautabsud-Waschungen und solchen von Käsepappelauszug, der in kaltem Ansatz über Nacht hergestellt wird. Frische Breit- und Spitzwegerichblätter werden gewaschen, auf einem Brett mit dem Nudelwalker zerrieben und als Blätterbrei direkt in die Wunde gelegt. Dieser Blätterbrei kann jedoch bei einer so tiefen Wunde Druck und Ziehen verursachen. Es wäre also möglich, daß die Kranke diesen Druck kaum aushält. In diesem Fall muß man den Blätterbrei wieder entfernen, abermals die Wunde mit Käsepappel- und Zinnkrautabsud auswaschen und neuerlich frischen Blätterbrei in die Wunde legen, solange, bis ihn die Wunde ohne Druck- und Schmerzgefühl erträgt. Die Wundränder sollen mit Ringelblumensalbe eingestrichen werden. Ich habe daraufhin nichts mehr von dieser jungen Frau gehört, jedoch öfter denken müssen, ob ihr der Herrgott mit seinen Kräutern geholfen hat? Ob sie noch lebt?

Ein halbes Jahr später rief mich diese junge Frau an und fragte, ob ich mich an sie erinnern könne. Tief ergriffen hörte ich sie sagen: »Es ist alles zugeheilt, es sind nicht einmal Narben geblieben!« – Ärzte bestätigten mir, daß das reine Wunder wären.

––––––

Vor einem Vortrag in Zwettl im Herbst 1977 sprach mich eine pensionierte Lehrerin an. Sie wäre wegen eines **epileptischen Anfalles** während einer Schulstunde in Frühpension gegangen. Jetzt, nach zehn Jahren, häufen sich jedoch die Anfälle auf acht bis zehn pro Tag. Bei Benützung der Toilette müsse ein Angehöriger bei der Tür stehen, da sie befürchte, während dieser Zeit einen Anfall zu bekommen. Als sie mir das alles erzählte, wurde sie plötzlich von einem solchen Anfall überrascht. Ich erkannte, daß es sich hier aber nicht um Epilepsie, sondern um einen reinen **Krampfzustand** handelte, da Arme und Beine in verschiedenen Richtungen krampfartig verzogen waren. Da aber ein Krampfzustand von einer gewissen Stelle ausgeht, fragte ich ihren Mann, der auch anwesend war, ob die Kranke schon einmal auf eine bestimmte Stelle hingewiesen hätte. Er sagte, sie habe immer das Gefühl, als ob der Anfall von einer Stelle am rechten unteren Schienbein ausgehe. Nun hatte ich zufällig frischen Bärlapp greifbar und wickelte eine ca. 25 cm lange Ranke zu einem Knäuel zusammen und legte ihn auf die bezeichnete Schienbeinstelle. Im selben Moment kam die Frau zu sich. Ich war der Meinung, der Krampf könne sich zufällig zum gleichen Zeitpunkt gelöst und mit dem aufgelegten Bärlapp nichts zu tun haben. Ich band ihr aber trotzdem den krampflösenden Bärlapp auf das Schienbein und riet, ihn ständig aufgelegt zu lassen und ihn gelegentlich mit frischem auszuwechseln. Es klingt unglaubwürdig, aber die Anfälle blieben seit dem Auflegen mit Bärlapp aus, was mir die Frau voll Freude am nächsten Tag und in den nächsten Wochen telefonisch bestätigte.

––––––

**Schweißdrüsen-Abszesse:** Bei dieser sehr schmerzhaften Erkrankung habe ich mit Topfen (Quark) die besten Erfahrungen gemacht. Es gehört zwar nicht in die Kategorie der Heilkräuter, aber ich möchte Ihnen diesen wertvollen Heilbehelf nicht vorenthalten.

––––––

Eines Tages kam ich in das Haus einer mir befreundeten Bäuerin im Mühlviertel (Oberösterreich). Sie saß mitten in ihrer schönen Bauernstube, eingehüllt in ein warmes, graues Schafwolltuch. Sie erzählte, daß sie seit Wochen unter beiden Achseln **Schweißdrüsen-Abszesse** und ärgste Schmerzen hätte, sodaß sie sich schon mit Selbstmordgedanken trage. Wäre ein Abszeß zugeheilt, so bilde sich bereits ein nächster. »Grad heut ist es so schlimm! Der Bauer ist grad wieder zum Doktor rein, um mir eine Salbe zu holen.« Sie hätte keinen Topfen daheim, meinte sie auf meine Frage. So ging ich in die Nachbarschaft, zur Schwester der Bäuerin. Die hatte gottlob einen, »grad frisch gemacht!« wie sie sagte. Nun kehrte ich wohlgemut zu der kranken Bäuerin zurück. »Morgen hat Dein Leiden ein Ende«, meinte ich, während ich in einer Kasserolle ein bißchen Milch anwärmte und den Topfen, fein zerdrückt, hineingab. Auf kleinem Feuer machte ich ihn warm, verrührte langsam Milch und Topfen und strich den Brei auf zwei Tücher. Ich steckte die jammernde Frau ins Bett und als ich ihr auf jede Seite unter der Achsel den warmen Topfenumschlag auflegte, sah ich mit Entsetzen einige faustgroße Eiterbeulen. Ich deckte sie gut zu und überließ sie einem guten Schwitzen. Am nächsten Tag in aller Früh kam der Bauer überglücklich zu uns. »So um acht Uhr auf d'Nacht«, erzählte er, »spürte meine Frau eine warme Feuchtigkeit. Und dann rann es grad so, als ob man a Wasserleitung aufdraht hätten. So etwas habe ich noch nie erlebt oder gesehen und ich hab schon viel als Bauer erlebt!« Damit war die Bäuerin mit ihren Schweißdrüsen-Abszessen über den Berg. Schön abgeheilt, kamen niemals neue Abszesse nach.

———

Im Februar 1978 erhielt ich aus Graz in der Steiermark den Anruf eines Sohnes, seine Mutter hätte an der rechten Halsseite eine männerhandgroße **Krebsgeschwulst**. Der konsultierte Arzt hielt eine Operation in diesem Alter für aussichtslos.

Die Fluren waren mit Schnee bedeckt, es konnten also keine frischen Spitz- oder Breitwegerichblätter aus der Natur geholt werden. Diese Blätter müssen gewaschen, mit dem Nudelwalker auf einem Brett zu einem Brei gewalkt, auf äußere, bösartige Krebsstellen aufgelegt werden. Ich verwies daher auf in Reformhäusern erhältliche Spitzwegerichsäfte, mit denen man Watte tränkt und auflegt. Damit könnte man eventuell ebensolche Hilfe bringen.

Ende Februar stand der Mann vor meinem Haus in Oberösterreich. Auf meine Frage, weshalb er den weiten Weg hierher unternommen habe, er hätte ja auch anrufen können, erwiderte er: »Ich mußte selbst kommen, weil mir die Sache so wichtig erscheint. Wir besorgten uns den Spitzwegerichsaft aus einem Reformhaus, befeuchteten damit eine Watte und legten diese auf. Es trat jedoch kein Erfolg ein. Vor zehn Tagen ging der Schnee weg. Wir holten sofort von den Wiesen die Blattrosetten des Spitzwegerichs und legten sie als Blätterbrei auf die Geschwulst. Der Arzt kam vorbei und wunderte sich über die grüne Auflage. Sie erweckte sein Interesse, denn er kam nun täglich und als er sah, daß die Geschwulst von Tag zu Tag kleiner wurde, verwies er auf seinen biologisch gedüngten Garten, wo der Spitzwegerich bedeutend größer entwickelt war als auf den Wiesen. Genau nach zehn Tagen Kräuteranwendung war die Krebsgeschwulst am Halse meiner Mutter verschwunden.«

———

Hier möchte ich ein Problem aufwerfen, daß mich schon lange beschäftigt. Im Sommer, wenn die Natur uns in Hülle und Fülle frische Kräuter beschert, ist es nicht schwer, bösartige Krankheiten einzudämmen und zu heilen. Im Winter aber stehen wir mit leeren Händen da. Es müßten sich Menschen finden, die, genau wie die Gemüse-Tiefkühlfirmen, Heilkräuter von biologisch behandelten Feldern ernten und tiefgekühlt haltbar machen. Dann hätten wir sie auch im Winter zur Verfügung.

———

Eine Nachbarin hatte sich das Bein gebrochen. Zwei Jahre laborierte sie daran. Das **Bein schwoll** immer wieder an und schmerzte. Einmal wurde es so arg, daß sie wieder ins Krankenhaus mußte. Nach ihrer Entlassung traf ich sie auf der Straße. Sie ging am Stock, das eine Bein war mehr als doppelt so stark als das normale. Sie brauchte für den Weg, den sie früher in zehn Minuten zurückgelegt hatte, mehr als eine Stunde. Im Krankenhaus hatte man ihr keine Besserung verschaffen können. Ich riet zu Käsepappel-Fußbädern (Käsepappel wird in kaltem Wasser über Nacht angesetzt). Ich war sehr erstaunt, als ich sie drei Tage später in ihrem Hühnerhof mit zwei gesunden Beinen arbeiten sah.

———

In einem Pfarrhaus in Oberbayern wurde ich von einer jungen Frau, Mutter von drei Kindern, gefragt, ob sie sich die 32 Bestrahlungen nach einer Brustoperation geben lassen soll. Ich antwortete: »Das ist allein ihre persönliche Entscheidung, ob Bestrahlungen oder keine. Wäre ich die Patientin, würde ich die Bestrahlungen ablehnen.«

Bei einem nächsten Besuch nach mehreren Wochen im gleichen Pfarrhaus kam diese Frau ganz verzweifelt zu mir. Die Bestrahlungen hätten ihr linksseitig die Rippen zerbröselt und **Metastasen** ausgelöst. Gott sei Dank haben wir bei schwersten **Knochenerkrankungen und -zerstörungen** die Beinwurz, die in solchen Fällen nicht genug angepriesen werden kann. Das Beinwurzmehl erhält man in vielen Apotheken und Kräuterhandlungen. Mit heißem Wasser wird es zu einem Brei verrührt und auf die kranken Stellen aufgelegt (siehe Artikel »Beinwurz« in der Broschüre). Die junge Frau jedoch hat sich die Beinwurz selbst gegraben, hat sie gewaschen und gebürstet (die schwarze Haut darf nicht weggeschabt werden), auf einem Reibeisen gerieben, zwischen ein Leinentuch gegeben und aufgelegt. Sie werden es kaum glauben: in zehn Tagen waren die Metastasen weg und die Rippen normal gefestigt.

———

Bei einem Vortrag in Zwettl (im Waldviertel, Österreich) am 16. April 1978 wurde eine schwerkranke Frau aufs Podium getragen. Sie zitterte am ganzen Körper und erzählte mir, sie hätte bereits zwei schwere **Nervenzusammenbrüche** hinter sich, von denen sie sich kaum erholen konnte. Zwei Jahre laboriere sie an einem **offenen Bein**. Vom Knie bis zum Fußknöchel sei eine nässende Fläche ohne Haut. Vom Knöchel abwärts ein blauroter Klumpen. Im Krankenhaus, wo sie schon einige Male weilte, wollte man ihr jedesmal das Bein bis zum Knie amputieren. Sie erzählte weinend, daß sie es einfach nicht zugelassen habe, aber sie wisse nicht mehr ein noch aus. Sie könne weder gehen, noch sitzen und wäre so verzweifelt, weil sie keinen Ausweg mehr sehe. »Gewiß werden die Heilkräuter als Geschenk Gottes auch hier helfen«, meinte ich tröstend zu ihr. Mit Zinnkrautabsud müßte sie baden, ebenso mit Käsepappelauszug, der in kaltem Ansatz über Nacht hergestellt wird, aber lauwarm und anfangs sehr vorsichtig, so wie es der offene Fuß am besten verträgt. Frische und mit dem Nudelwalker zerriebene Blätter des Spitzwegerichs als Blätterbrei direkt aufgelegt, ebenfalls ganz vorsichtig und nur für kurze Zeit. – Die Käsepappelbäder bringen dann auch die blaurote **Geschwulst** des Vorfußes zum Abklingen. Wenn sich die Haut allmählich bildet, nach jedem Bad mit Ringelblumensalbe einstreichen.

Gegen die **Zerrüttung des Nervensystems** riet ich zu Thymian-Vollbäder, 150 g Kräuter pro Bad, diese über Nacht kalt wässern, dem Badewasser zusetzen und darin 20 Minuten baden, wobei das Herz außerhalb des Wassers sein muß. Zweimal noch kann man dieses Badewasser verwenden, indem man einen Teil davon nochmals über die Kräuter gießt.

———

Am 15. August des gleichen Jahres kam ich zu einer Heilkräuterweihe nach Maria Bründl in Niederösterreich, wo ich von einer vieltausendköpfigen Menschenmenge begrüßt wurde. Nach der Weihe drängte sich mit vielen anderen eine Frau an mich, faßte mich am Arm und war durch nichts zu bewegen, ihn loszulassen. Dann stellte sich heraus, daß es die Frau mit dem offenen Bein aus Zwettl war. Nach zwei Monaten Behandlung mit den angegebenen Kräutern war das Bein vollkommen zugeheilt und gesund. Sie konnte ihren Haushalt wieder normal versehen. In Maria Bründl lief sie wie ein Wiesel den steilen Wiesenweg zur Kapelle hinauf und wieder hinunter. Das sind die Wunder aus der Apotheke Gottes!

———

Nach einem Vortrag in Gallspach, Oberösterreich, im November 1978 erzählte mit ein junger Mann, er hätte nach einem Autounfall mit doppeltem Schädelbasisbruch täglich schwere **epileptische Anfälle**. Ich riet zu Schwedenkräuter-Umschlägen auf den Hinterkopf und Kopfwirbel und zu drei bis vier Tassen Brennesseltee täglich. Im Frühjahr 1979 kam er freudestrahlend zu mir. Er habe meine Ratschläge befolgt, seine epileptischen Anfälle hätten allmählich nachgelassen und wären nun vollkommen verschwunden.

———

Am 13. September 1979 rief Frau H. W. aus O./BRD morgens an und erzählte weinend, ihr 38-jähriger Mann solle an einer **Geschwulst an der Lunge** operiert werden. Die Untersuchung mit einer Sonde habe einen eitrigen Kern der Geschwulst ergeben. Die Ärzte rieten dringend zu dieser Operation, obwohl ihr Mann durch Fieber sehr geschwächt und vielleicht die Operation gar nicht überstehe. Später erlaubten ihr die Ärzte dann, von der Teeküche aus, die bei bösartigen Geschwülsten anzuwendenden Zinnkraut-Dunstumschläge (eine gehäufte Doppelhand Zinnkraut in einem Sieb über Wasserdampf heiß machen). Morgens und nachmittags je zwei Stunden und über die ganze Nacht, in den Mittagsstunden aber einen vierstündigen Schwedenkräuter-Umschlag auf die Lunge. Außerdem bekam der Kranke von einem Kräutergemisch von drei Teilen Ringelblumen, einen Teil Schafgarbe und einen Teil Brennessel eine Teemenge von zwei Liter. Alle 15 Minuten mußte er von dieser Menge einen Schluck trinken. Auf diese Art können Schwerstkranke eine so große Menge aufnehmen. Dies ist aber bei jeder Krebserkrankung unbedingt notwendig.

Nach dreitägiger Behandlung mit Zinnkraut-Dunstumschlägen ergab das Röntgenbild eine Verkleinerung der Geschwulst. Daraufhin konnte die junge Frau ihren Mann aus dem Krankenhaus heimnehmen. Im Laufe weniger Tage stellte sich beim Kranken guter Appetit ein. Neun Tage nach der Entlassung aus dem Krankenhaus ergab eine ärztliche Kontrolle mit Röntgenbild, daß die Geschwulst an der Lunge vollkommen verschwunden war.

# DANK- und ERFAHRUNGSBERICHTE, die mich erreichten

*Frau M. M. aus M. schreibt:*

»Heute darf ich Ihnen ein herzliches Vergeltsgott sagen. Viele Jahre war ich ständig bei Ärzten, aber keiner konnte mir helfen. Voriges Jahr im Herbst war ich sieben Wochen im Krankenhaus: **Herz – Kreislauf!** Die **Leber** war angeschwollen, nebenbei noch **Magenschleimhautentzündung!** Da riet man mir zu Brennesseln. Ich suchte sie im Dezember unterm Schnee. Nach acht Tagen ging es mir besser. Ich habe nun durch Sie meine Kräuterkenntnisse erweitert und spüre auch, wie sie mir helfen.«

*Frau J. Sch. aus I. schreibt:*

»Unsere Oma macht nach ihren drei **Schlaganfällen** mit Brennessel- und Misteltee beste Fortschritte. Das noch etwas gelähmte Bein behandle ich mit warmen Beinwurzblättern, wobei sich die Muskelverhärtung allmählich löst. Außerdem lege ich nachts Farnblätter auf, die eine sehr gute Wirkung haben.

_____

Ein kleiner Junge, der trotz strengster Diät dauernd **Durchfall** hatte, hat auf sechs Schluck Kalmuswurzeltee, die Sie in Ihrer Broschüre angeben, den Durchfall verloren, wieder Appetit bekommen und bereits auch einige Pfund zugenommen. Seine Mutter ist überglücklich.

_____

Eine Bekannte hatte seit Monaten **Fußschmerzen**, die sich bis zum Oberschenkel hochzogen. Ein Beinwurz-Breiumschlag nahm mit einem Mal schlagartig alle Schmerzen; sie sind auch trotz schwerster Belastung nicht mehr wiedergekommen.

_____

Eine andere Bekannte war durch eine **infektiöse Gelbsucht** seit zwei Jahren gesundheitlich sehr schlecht beisammen. Seit sie nach Ihrer Vorschrift die Kräuter nimmt (Ringelblumen, Brennessel und Schwedenbitter), kann sie wieder von 6 Uhr morgens bis 22 Uhr abends voll arbeiten.«

*Frau W. T. aus E. schreibt:*

»Ich weiß nicht, ob Sie sich noch an unser Telefongespräch im Jänner 1978 erinnern, in dem ich Sie um Hilfe für meine dreijährige Tochter bat, die furchtbare **krampfartige Erstickungsanfälle** hatte und schon mehrere Cortison-Spritzen erhalten hatte. Ihr Rat, sie mit Käsepappel, Schwedenbitter und Bärlapp zu behandeln, hatte sehr großen Erfolg. Daher möchte ich mich, auch im Namen meines Mannes, recht herzlich bei Ihnen bedanken. Liebe Frau Treben, Sie hat uns der Himmel geschickt! Ich bitte Gott und seine himmlische Mutter, daß Sie uns noch recht lange in Gesundheit erhalten bleiben.«

*Frau M. R. aus W. schreibt:*

»Meine Nachbarin, 50 Jahre alt, arbeitet in einer Kleiderfabrik. Nach Weihnachten bekam sie heftige **Schmerzen in beiden Handgelenken**, wurde krank geschrieben, da sie die Daumen überhaupt nicht mehr rühren konnte. Sie bekam drei Wochen Gips; nach neun Wochen Behandlung hatte sich nichts geändert. Ich riet ihr zu Schafgarbentee und -bäder, wie ich es in Ihrer Broschüre gelesen hatte. Nach dem dritten Tag konnte meine Nachbarin die Daumen schon schmerzlos bewegen und seit dem 10. April ist sie wieder im Arbeitseinsatz.«

*Frau P. Sp. aus Gr. T. schreibt:*

»Meine Schwägerin hatte im Sommer und Herbst arge **Kreuzschmerzen**. 300 Tabletten und über 30 Spritzen besserten die Sache überhaupt nicht. Kurz vor Weihnachten badete sie in sechs Zinnkraut-Sitzbädern und am Christtag teilte sie uns voller Freude mit, daß ihr die Bäder geholfen haben.«

*Ein Priester aus Bayern schreibt:*

»Als mich gestern unser Hausarzt wieder — wie alljährlich seit 15 Jahren — untersuchte (seit dieser Zeit hatte ich eine faustgroße **Prostata-Geschwulst**), stellte er fest, daß keinerlei Geschwulst mehr vorhanden war. Er war wie elektrisiert: ‚Was haben Sie denn für Mittel verwendet?' ‚Ich habe vier Wochen lang täglich morgens eine Tasse Tee vom Kleinblütigen Weidenröschen getrunken!' — Wieder ein Wunder, das Gott durch seine Heilkräuter vollbracht hat.«


*Frau S. R. aus G./Allgäu schreibt:*

»Ich habe eine große Hilfe durch den Brennesseltee erfahren. Ich bin 67 Jahre alt, hatte es immer im Bauch. Auf den Brennesseltee bekam ich starke **Blutungen**, aber alles ganz dunkel, klumpig und hantig, fast wie bei einer Nachgeburt. Der Arzt sagte, es wäre eine totale Reinigung. Ich schreibe Ihnen dies, damit auch andere erfahren, was die Brennessel kann.«


*Frau G. R. aus NÖ. schreibt:*

»Ihr Rat, Zinnkraut-Dunstumschläge auf die schmerzenden und **geschwollenen Zehenballen** aufzulegen, hat meinem Mann sehr geholfen und ihm alle Schmerzen genommen.«


*Frau G. Ph. aus NÖ. schreibt:*

»Ich habe schon viel aus Ihrem Buch gelesen und ausprobiert. Zum Beispiel habe ich in unserem Garten einen tollen Sturz vollbracht, wobei meine beiden Knies in Mitleidenschaft gezogen wurden. Ich legte sofort zerriebenen Spitzwegerich auf den argen **Bluterguß**; schon nach kurzer Zeit ging dieser zurück und auch die Schmerzen ließen nach.«


*Eine Ordensschwester aus Bayern schreibt:*

»Meiner Schwester, 35 Jahre alt, Mutter von zwei Buben, neun und zwölf Jahre alt, wurde die linke Kieferhälfte herausoperiert und auch vom Augenboden etwas entfernt. Es ist **Krebs**. Auf Ihre telefonischen Ratschläge hin trinkt sie seitdem Brennessel-, Schafgarben-, Ringelblumentee; äußerlich macht sie Umschläge mit Schwedenbitter und Dunstumschläge mit Zinnkraut. Es geht ihr gut und es wird nach der neuen Prothese noch viel besser. Mit Labkraut spült sie fest. Mit Hilfe der Stationsärztin, die diese Behandlung unterstützt, brauchte sie keine Bestrahlungen mehr.

———

Auch einer Mitschwester konnte durch Ihre Kräuterbroschüre geholfen werden: sie hatte verschiedene **Bakterien in der Blase**, die durch eine Operation in die Blase kamen. Ein volles Jahr schluckte sie Tabletten, die nichts halfen. Nun begann sie mit Brennesseltee und später mit Schwedenbittertropfen. Bei der letzten Untersuchung konnte der Arzt keine Bakterien mehr feststellen. Die Kräuter haben sehr rasch geholfen.«


*Frau S. R. aus I. S. schreibt:*

»Ich freue mich unsagbar, daß ich Ihnen endlich auch einmal einen ans ‚Wunderbare' grenzenden Erfolg mitteilen kann. Ich hatte lange schon ein **schmerzendes Knie**. Eines Nachts wurde ich von rasenden Schmerzen wach. Ich konnte das **Kniegelenk** weder drehen, einziehen oder strecken. Mir waren die Tränen nahe. Ich machte mir einen Schwedenkräuter-Umschlag und ließ ihn vier Stunden auf dem kranken Knie liegen. Alle Schmerzen waren weg. Ich konnte wieder aller Arbeit nachgehen, Stiegen steigen, usw. Es war tatsächlich wie ein Wunder. Auch **Ohrenschmerzen** vertrieb ich schon einmal, indem ich mit Schwedentropfen getränkte Watte ins Ohr gab.«

*Schwester M. A. schreibt im Mai 1978:*

»Mein Schwager litt seit Jahren an Prostata. Daneben hatte er mindestens fünf- bis sechsmal Herz-infarkte. Als das **Prostataleiden** zum Höhepunkt stieg, wollte man operieren. Die Ärzte schickten ihn wegen seines sehr kranken Herzens heim, weil eine Operation bei ihm zum Tode führt. Nun versuchten wir sein Leben doch noch zu retten oder zu fristen und besorgten ihm Weidenröschentee. Er trank ihn und schon die ersten Tage erfuhr er Erleichterung, heute ist es fast ganz behoben.«

*Frau E. S. aus R. schreibt am 20. Juni 1978:*

»Das schwere Leiden meines Mannes (**Durchfall mit Blut**, 30 bis 40 mal pro Tag), hat sich seit Grün-donnerstag – da begann er nämlich die von Ihnen angegebene Teekur (sechs Schluck Kalmus-, Ringel-blumen-, Schafgarben-, Brennesseltee) – soweit gebessert, daß er seit 14 Tagen wieder arbeiten kann.«

*Frau M. S. aus K. schreibt:*

»Sicher wird es Sie freuen zu hören, daß eine junge Ordensschwester durch Ihre Ratschläge und durch die frischen Kräuter, die ich ihr übermittelte, wieder in die Mission nach Neu-Guinea zurückkehren konnte. Sie war fast zwei Jahre wegen einer bösen **Bauchspeicheldrüsen-Erkrankung** zuhause. Von der Zeit an, da sie Ihre Ratschläge befolgte, ging es wieder bergauf. Sie wird bestimmt im Gebet an Sie denken. Was diese Schwester unter Entbehrungen bei den Ärmsten leistet, ist für unsere Begriffe fast unvorstellbar. Daß sie nun wieder ihren Wirkungskreis übernehmen kann, ist Gottes und Ihr Werk!«

*Eine Ordensschwester schreibt:*

»Ich möchte Ihnen ein recht herzliches Vergeltsgott sagen, da Sie mir so gut geholfen haben. Mein **Blutdruck** hat sich völlig normalisiert, **Gallen- und Magenbeschwerden** sind verschwunden, ich fühle mich wie neugeboren. Im vergangenen Jahr war ich in Lourdes; nun weiß ich, daß die Mutter Gottes durch Ihren Rat geholfen hat. Mein behandelnder Arzt war über meinen Gesundheitszustand so erstaunt, daß er fragte, was ich getan habe, daß sich mein Gesundheitszustand so zum Besten gewendet hat. Nach einigem Zögern sagte ich es. Er war so begeistert, daß er sich ebenfalls sofort das Buch ‚Gesund-heit aus der Apotheke Gottes‘ bestellte.«

*Frau R. B. aus R. schreibt:*

»Meiner 70-jährigen Mutter brachte ich wegen ihrer **Wadenkrämpfe** Bärlapp. Nun erzählte sie mir über-glücklich: ‚Jahrelang hatte ich furchtbares Fersenbrennen vergeblich behandelt. Es war oft unerträg-lich. Nach fünf Bärlapp-Fußbädern ist es weg.‘
Ich möchte Ihnen auch zwei selbst ausprobierte Rezepte unserer Familie bekanntgeben: Ein Augenarzt sagte im Jahr 1930 zu meiner Mutter, deren fünf Geschwister im Alter von 20 bis 30 Jahren starben: Trinken Sie Zinnkraut, Lungenkraut und Huflattich zu gleichen Teilen, das ist der beste Lungentee. Tatsächlich gab es dann keinen Todesfall mehr. – Bei **Bronchitis oder Bronchial-Asthma** hat folgendes Rezept ganz wunderbar geholfen: Einen halben Eßlöffel Zucker mit vier bis fünf Tropfen Zitronensaft beträufeln, den Löffel mit gutem Salatöl vollgießen, langsam auf der Zunge zerreiben und schlucken, dreimal während des Tages!«

*Frau Emma L. aus W. schreibt:*

»Im Jänner 1978 kam mein Mann ins Krankenhaus, wurde ins Sterbezimmer gelegt; dann habe ich mit Ihnen, liebe Frau Treben, gesprochen. Mein Mann bekam Spritzen und Sauerstoff. Er hatte furchtbare **Hustenanfälle** und **geschwollene Beine**, auch konnte er nichts mehr essen. So lag er acht Wochen. Da hörte ich von dem Schwedenbitter; ich hatte nur noch den einen Wunsch und die eine Hoffnung, mit Ihnen zu sprechen und Sie um Ihren Rat zu bitten. Meinem Mann ging es bereits so schlecht, daß die

Ärzte ihn nicht nach Hause geben wollten, da sie die Meinung vertraten, er würde unterwegs sterben, außerdem brauche er jede Nacht drei bis vier Spritzen. Ich aber nahm ihn trotzdem nach Hause. Wir gaben ihm Schwedenbitter in Brennessel- und Ringelblumentee und machten auf Brust und Leber Schwedenkräuter-Umschläge. Mein Mann hat von da an keine Spritzen und Tabletten mehr gebraucht und fühlt sich gottlob über dem Berg. Ich möchte Ihnen in meinem und auch im Namen meines Mannes ein herzliches Vergeltsgott sagen.«

*Eine junge Ordensschwester aus A.-P./OÖ. schreibt:*

»Jahrelang hatte ich solche **Kreuzschmerzen**, daß ich kaum die Strümpfe anziehen konnte. Ich las in Ihrer Broschüre unter Zinnkraut, daß man bei **Bandscheiben-Beschwerden** Sitzbäder von Zinnkraut machen soll. Ich befolgte diese Anregung. Bereits nach dem ersten Zinnkraut-Sitzbad sind meine Beschwerden verschwunden, bis heute — ein halbes Jahr darnach — sind sie nicht wiedergekommen. Die anschließenden sechs Fußbäder befreiten mich außerdem von meinen **Schweißfüßen**. Gegen meine **Kreislaufstörungen** trank ich Brennesseltee mit bestem Erfolg. Ich habe große Freude am Gelingen der Heilkräuter-Anwendung, sodaß ich jetzt meinen Mitschwestern mit Ihren Ratschlägen auch helfen kann.

———

Bei einer Mitschwester wurden nach einer simplen Narbenbruchoperation im Unterleib **Tumore mit Metastasen** festgestellt. Den Angehörigen teilte man mit, daß die Kranke nur noch mit einer halbjährigen Lebensdauer rechnen könne; die Angehörigen wendeten sich an Sie, liebe Frau Treben. Nach der Entlassung aus dem Krankenhaus wurde der Patientin ein vierstündiger Schwedenkräuter-Umschlag auf den Unterleib gemacht, außerdem trank sie täglich die unter ,Unterleibs-Erkrankung' angegebenen Kräutertees. Schon nach sechs Wochen — bei der ersten Kontrolle — staunte der Primar über das gute Blutbild, nach weiteren drei Kontrollen, die alle sechs Wochen stattfanden, stand er vor einem Rätsel. Er fand überhaupt nichts Bedenkliches mehr vor. Nun ist diese Mitschwester 71 Jahre alt. Neben der Kräutertinktur hat sie keine Diät eingehalten, sie fühlt sich heute gesundheitlich wieder ganz auf der Höhe, zum Erstaunen aller Ärzte.«

*Frau K. Sch. aus Vorarlberg schreibt:*

»Ein herzliches Vergeltsgott für Ihre wunderbare Broschüre! Wir haben schon viel daraus angewendet. Nun möchte ich noch erwähnen, daß die Bärenklaublätter, von denen die Wiesen im Sommer voll sind, als bestens entgiftend bezeichnet werden können. Man wäscht sie, legt sie in feuchtem Zustand auf ein Brett und bearbeitet sie mit dem Nudelwalker. Man kann sie bei **Halsweh**, schwerer **Bronchitis**, **Kehlkopfleiden** und überall dort, wo man sich krank fühlt, auch auf **Galle, Leber, Magen, Unterleib und Lunge** auflegen. Man gibt sie zerwalkt zwischen ein Leinentuch, legt sie auf und bindet warm ab. In unserer Familie wurde auf diese Weise schon manche schwere Krankheit geheilt.

———

Ich bin 72 Jahre alt, der Augenarzt sagte, der **Star** habe angesetzt. Ich habe Weinraute in gutem Branntwein zehn Tage stehen lassen, früh und abends die Augendeckel damit eingerieben, bald konnte ich wieder besser sehen. Habe auch einem alten, fast blinden Mann dazu geraten und später erfahren, daß er wieder sieht. Es ist ein sehr gutes Mittel bei schwachen Augen. Auch Arnika-Essenz hat die gleiche Wirkung. Meine Schwester war Brillenträgerin, hat sich die geschlossenen Augen mit Arnika eingestrichen, jetzt braucht sie keine Brillen mehr. Auch ich war Brillenträgerin und Trachtenstickerin. Jetzt brauche ich zum Sticken keine Brille mehr. Wenn man es regelmäßig macht, hilft es.«

*Frau L. R. aus J. schreibt:*

»Vor ungefähr sechs oder acht Wochen schrieb ich an Sie, mein Schwager soll am 28. August 1978 wegen einer **Ohrenspeicheldrüsen-Entzündung** zur Operation. Thymian in Öl angesetzt und der Schwedenbitter, beides ins Ohr geträufelt, haben sehr bald die großen Schmerzen genommen. Zwölf Bestrahlungen hatten keine Hilfe gebracht. Nun möchte ich Ihnen, auch im Namen meines Schwagers, ein herzliches Vergeltsgott sagen.«

12

*Frau Treben selbst stellt folgende Episode zur Veröffentlichung:*

»Nach einer Pilgerandacht, die für deutsche Pilger in einer österreichischen Kirche gehalten wurde, fiel mir eine unbekannte Frau stürmisch um den Hals. Sie berichtete, daß sie **Grünen Star** hatte und diesen durch die Ratschläge, die in meiner Broschüre unter ‚Grüner Star' veröffentlicht sind, verlor.«

*Herr A. Th. aus D. schreibt:*

»Ich muß Ihnen dankbar mitteilen, daß ich in der Zeit, da ich Schöllkrautsaft gegen den **Grauen Star** verwendete, eine erhebliche Erleichterung verspürte und begeistert war. Ich wasche das Blatt, zerreibe in feuchtem Zustand den Stengel zwischen Daumen und Zeigefinger und bringe diese Feuchtigkeit von der Nasenwurzel zum Augenwinkel. Von dort belebt der Schöllkraut-Saft das Auge, ohne daß jedoch der Saft in das Auge gebracht wird.«

*Ein Telefonanruf aus Südbayern:*

»Ihr Ratschlag, mit frischem Labkraut zu gurgeln, hat mir nicht nur den **Kropf** vollkommen weggebracht, ich habe auch alle unangenehmen **Störungen der Schilddrüse** verloren.«

*Herr A. aus Ebensee schreibt:*

»Meine Tochter hatte **Akne** und war natürlich darüber sehr unglücklich. Wir setzten Kren (Meerrettich) mit Obstessig an, ließen das Ganze zehn Tage stehen, so wie Sie es in der Broschüre schildern; dann begann sie – zweimal am Tag – mit dem Einstreichen ins nasse Gesicht und trank täglich einen Liter frischen Brennesseltee. In drei Monaten war von einer Akne nichts mehr zu sehen. Wir halten uns in jeder Weise an die Ratschläge in Ihrer Broschüre und finden nur, daß alles stimmt, was Sie darin schreiben. Ein herzliches Vergeltsgott!«

*Auszug aus einem Brief vom 29. September 1978, den eine Frau aus K./Schwaben schrieb:*

»... übrigens, ich trinke fleißig die angegebenen Teemischungen gegen **Arthrose** mit Erfolg und gegen den **Grünen Star**. Jedenfalls seit dieser Zeit ist mein Augendruck etwas konstanter geblieben. Meine **Schmerzen** in meinem linken **Knie** haben sich so gebessert, daß ich sogar die Treppen frei und ohne nennenswerte Schmerzen gehen kann. ───────

Mit Hilfe des Schwedenbitters heilte bei meiner Mutter eine große **Wunde** – hervorgerufen durch einen Bluterguß – (meine Mutter wird am 1. Oktober 1978 89 Jahre alt) völlig zu. Auch ein **Abszeß** an der Innenseite der kleinen Zehe konnten wir damit ausheilen.«

*Frau H. M. schreibt:*

»Mit den Schwedenkräutern, die wir schon mehrmals angesetzt und die wir in Verwandten- und Bekanntenkreisen weitergegeben haben, erzielten wir erstaunliche Erfolge. Zum Beispiel hat sich eine sehr häßliche **Narbe** am Knie meiner Tochter wesentlich gebessert. Wir danken für die viele Mühe und Ihren persönlichen Einsatz.«

*Frau M. Sch. aus Augsburg schreibt:*

»Mein zwölfjähriger Junge hatte eine **Kiefereiterung**, fünf Tage vor seiner Firmung. Ich betupfte die Geschwulst täglich mehrmals mit Schwedenbitter, auch spülte er zweimal täglich mit Salbeitee und Schwedenbitter. Die Geschwulst brach auf, das Eiter wurde langsam weniger, die geschwollene Backe und die Geschwulst am Kiefer ging zurück. Den Firmtag verbrachte mein Sohn gesund und froh.

───────

Auch als meine **Leber** sich wieder einmal schmerzhaft bemerkbar machte, legte ich mir einen Schwedenkräuter-Umschlag über sie. Bald wurde es besser. – Bei meinem Urlaub in Österreich besuchte ich eine Bäuerin, die leider krank im Bett lag. Ich gab ihr von meinem Schwedenbitter, den ich stets bei mir trage und ließ auch die Broschüre ‚Gesundheit aus der Apotheke Gottes' zurück. Sie trank Brennessel-, Schafgarben- und Ringelblumentee und nahm Schwedenbitter. Nach drei Tagen war sie wohlauf und arbeitete bereits wieder tüchtig im Haushalt. Auch sie hat sich sofort den Schwedenbitter angesetzt. – Ich litt früher unter **Verstopfung, Blähungen** und hatte **Hämorrhoiden**. Seit ich den Schwedenbitter anwende, habe ich täglich Stuhlgang. _____

Weil ich an die Heilkraft der Kräuter glaube, habe ich Schöllkraut ausgegraben und im Garten angesetzt. Mein Sohn hatte **Warzen**, die er sich verätzen und vereisen ließ. Es gab arge Narben. Nun ist alles durch das Schöllkraut weggegangen, auch andere Warzen, die er noch hatte.«


*Frau A. S. aus G. schreibt:*

»Ich sehe es als Fügung an, daß ich durch Freunde, die ich in San Damiano kennenlernte, Ihre Broschüre ‚Gesundheit aus der Apotheke Gottes' erhielt. Ich bat damals voll Vertrauen unsere Mutter Gottes, mir zu helfen, da meine Kräfte durch die **Parkinsonsche Krankheit (Schüttellähmung)** immer mehr erlahmten. Ich war sehr erstaunt, daß mir die Schwedenkräuter gleich Erleichterung verschafften. Heute, nach einem halben Jahr, kann ich sagen, wie wunderbar mir alles, da ich Ihre Ratschläge und Anweisungen in Ihrer Broschüre befolgte, geholfen hat. Vor allem ist meine **Gastritis**, unter der ich 15 Jahre lang litt, vollständig verschwunden. Ich kann wieder alles essen. Im allgemeinen fühle ich mich wieder als normaler Mensch und niemand merkt, welche Krankheit ich habe. Besonders dankbar bin ich, daß das Zittern im rechten Arm für Außenstehende nicht mehr erkennbar ist. Nur bei Aufregungen und Überanstrengung zeigt es sich ab und zu. Auch mein Gang ist besser geworden. Meine Müdigkeit ist zwar noch etwas vorhanden aber bei weitem nicht mehr so schlimm.

Ich wendete an: Morgens schluckweise eine Tasse Brennesseltee mit Schwedenbitter trinken, eine Stunde später Schafgarbentinktur in etwas Wasser. Stündlich bis Mittag die Schafgarben-Essenz mit dem in der Broschüre unter ‚Schüttellähmung' angegebenen Tee trinken. Nachmittags trank ich stündlich den gleichen Tee, außerdem abends den Tee gegen Schlaflosigkeit, der unter Artikel ‚Schlüsselblume' angeführt ist. Nachdem bei uns Sauerklee nicht zu finden ist, konnte ich ihn nicht nehmen. Ich danke Ihnen vor allem für Ihre uneigennützige Hilfsbereitschaft sehr herzlich.«


*Frau J. D. aus Wien schreibt:*

»Ich stehe im 86. Lebensjahr, hatte seit vier Jahren **Bindehautentzündung**; kein Arzt konnte mir helfen. Bereits nach einigen Tagen ist sie mit Schwedenbittertropfen-Umschlägen auf die geschlossenen Augen gut geworden. Ich bin durch den Schwedenbitter wieder gottlob gut beisammen.«


*Herr Pfarrer M. schreibt:*

»Mein Fräulein Anna, meine tüchtige Haushälterin, ist eine große Kräutersammlerin geworden, die überall dort hilft, wo es nötig ist. Mit Ihrer Broschüre ‚Gesundheit aus der Apotheke Gottes' und dem Schwedenbitter hat sie schon vielen geholfen. Einem knapp 40-jährigen Mann, der an **Zungenkrebs** erkrankte, konnte sie mit Labkraut und Spitzwegerich helfen und ihn von dieser Krankheit – zum Staunen der Ärzte – befreien. Leider haben sie ihm Bestrahlungen gegeben, sodaß er mehr und mehr seine Haare verlor. Die Freude seiner Frau und Kinder ist trotzdem groß.«


*Aus einem Brief, den Frau Treben an Pf. Z. am 7. Oktober 1978 schrieb:*

»... Ich bin vollkommen überzeugt, daß mit Zinnkraut und Brennessel es auch bei **Lepra**-Kranken Erfolge gäbe. Zinnkraut heilt offene krebsartige Hautstellen durch äußere Anwendung (Brennessel heilt durch innere)! Vor ein paar Tagen hat mich eine Frau aus Linz, mit einem jahrelangen **Nesselausschlag** bis in den Mund hinein behaftet, angerufen. Ich riet zu Brennessel. Heute erfuhr ich: nach drei Tagen war zu ihrer größten Überraschung alles weg. Diese ‚Wunder' könnten sich auch bei Lepra zeigen.«

*Frau Pr. S. aus F.-L. schreibt am 13. Oktober 1978:*

»Ich habe jetzt schon sechs Wochen hindurch täglich vier Tassen Tee (Brennessel mit Schafgarbe) getrunken und habe meine **Periode** ohne Beschwerden überstanden, was in den letzten vier Jahren nicht mehr der Fall war. Ich mußte immer einen Tag im Bett verbringen. Ein herzliches Vergeltsgott im voraus! Es möge der Herrgott Ihnen noch viel Kraft und gesunde Jahre schenken!«


*Eine hochbejahrte Ordensschwester schreibt im Oktober 1978:*

»Dreimal mußte ich mich einer schweren Operation im Leib unterziehen. Dadurch entstanden schwere Verwachsungen und oft unerträgliche Schmerzen. Am 11. Dezember 1977, gerade als unsere verehrte Schwester Seniorin in die Ewigkeit heimging, mußte man mich ins Krankenhaus einliefern; die Schmerzen waren unerträglich. Diagnose: **Darmverschluß**. Der Arzt gab keine Hoffnung mehr. Es gelang ihm wohl die Operation, aber die Verwachsungen waren dermaßen groß, er schnitt heraus, was er nur konnte, aber Hoffnung auf ein Weiterleben gab der Arzt nicht. Eine Zeitlang vielleicht noch. Wir alle nahmen Zuflucht zu der eben verstorbenen ‚Oma‘ Seniorin – so nannten wir diese gute alte fromme Schwester, die heiligmäßig starb. – Etliche Tage vor Weihnachten sagte der Chefarzt zu unserer Oberin: ‚Ich will alles tun, um Schwester A. (Schreiberin des Briefes) wenigstens über die Feiertage noch am Leben zu erhalten, damit ihr nicht gleich wieder eine Beerdigung habt.‘ – Es ging ein klein wenig besser, aber das **hohe Fieber** wich nicht. Man entließ mich schließlich Ende Jänner aus dem Krankenhaus, um wahrscheinlich daheim sterben zu können.

Da brachte mir eine Schwester Schwedenbitter und las mir aus dem Kräuterbuch die Wirkung desselben vor. Täglich nahm ich dann den Schwedenbitter; bis Ostern war das Fieber weg. Heute fühle ich mich gesünder als je zuvor. Gott sei gedankt, ebenso der lieben Frau Treben, die mit ihrem Kräuterbuch so viel Gutes tut.«


*Frau Maria G. aus P. bei Wien schreibt:*

»Ein Bekannter schenkte mir die Broschüre ‚Gesundheit aus der Apotheke Gottes‘; ich muß Ihnen vor allem von ganzem Herzen danken, daß Sie so etwas Hervorragendes geschaffen haben. Ich besitze seit meinem 24. Lebensjahr im Original alle Sebastian-Kneipp-Bücher und habe meine Familie stets damit gesund erhalten. Mit Lehm hatte ich mich in wenigen Tagen von einem schweren **Rheuma** befreit, auch verwendete ich (Quark-)Topfen-Umschläge. Aber jetzt mit 87 Jahren kann man das alles nicht mehr so wie früher anwenden. Ich habe mir sofort den Schwedenbitter und den Herzwein angesetzt und trinke täglich einige Stamperl Schwedenbitter. Er hat mir seither schon sehr viel geholfen; ich bin viel leistungsfähiger geworden, trotz meiner 87 Jahre. Ich mache meine Hausarbeiten sowie die Arbeiten in meinem Garten noch alle allein. Ich möchte anderen Menschen, die leidend sind, noch so gerne helfen, wozu ich mehrere Broschüren brauche. Ich bewundere Sie, liebe Frau Treben, und danke Ihnen für Ihre großartige Arbeit und Hilfsbereitschaft, die Sie mit der Broschüre den Mitmenschen bringen.«


*Herr Karl Sch. aus W./Allgäu schreibt:*

»Vorerst möchte ich Ihnen ganz herzlich danken – auch im Namen vieler kranker Menschen – für Ihr selbstloses Helfen. Was für einen unermeßlichen Schatz haben Sie mit dem Buch ‚Gesundheit aus der Apotheke Gottes‘ preisgegeben! Bei meiner Frau zeichnet sich ein Erfolg ab, den wir nicht zu hoffen wagten. Seit über 20 Jahren klagte sie den Ärzten, daß ihr Mund nicht in Ordnung wäre, kein Geschmack und dabei **Lähmung** am Kinn. Nach dreiwöchigem Gurgeln mit Wegmalventee (Käsepappel) und Trinken desselben, fangen Mund und Gaumen zu heilen an. Der Geschmack beim Essen ist wieder da. So hofft nun meine Frau bei **Muskelschwund** mit der Hirtentäschel-Essenz auch Erfolg zu haben. Sie kann seit sechs Jahren nicht mehr frei gehen, seit 18 Jahren leidet sie an der Krankheit, zuerst als Multiple Sklerose diagnostiziert.

Ich selbst durfte mit dem Kleinblütigen Weidenröschen in zwei Wochen bei einer **vergrößerten Prostata** eine vollständige Heilung erwarten. Mit Bärlapp bin ich meine **Gicht** ganz losgeworden. Dafür danken wir Ihnen ganz, ganz herzlich.«

*Herr H. H. aus L. schreibt:*

»Nachdem wir im Frühjahr mit unserem Sohn bei Ihnen waren und Ihre Ratschläge für seine **Nieren-erkrankung** bekamen, möchte ich Ihnen die Ergebnisse der Behandlung mitteilen. Wir richteten uns genau nach Ihren Ratschlägen und konnten ca. sechs Wochen bis auf wenige Werte nach dem ersten Bluttest eine durchgehende Besserung feststellen. Nach zwölf Wochen mußten wir wieder zusätzlich die weggelassenen Mineralien geben, da die Werte lebensbedrohlich wurden. Nach Rücksprache mit dem Dialysezentrum bleiben wir bei der Behandlung nach Ihrem Vorschlag, müssen aber unbedingt gewisse Medikamente zusätzlich geben. Auf jeden Fall ist ein Erfolg zu erkennen, denn das Absinken aller kontrollierten Werte, das bisher stattfand, ist gestoppt worden. – Wir sind begeisterte Kräuter-sucher geworden und danken Ihnen, daß wir jetzt sehr viel bewußter und mit viel offeneren Augen durch die Natur gehen.«

*Frau M. S. aus F./Main schreibt:*

»Seit dem Frühjahr habe ich gute Erfolge mit Ihrer ‚Apotheke Gottes‘ erzielt. Ich hatte am Knie eine hühnereigroße **Schleimbeutelentzündung**, die mein Hausarzt operieren wollte, nachdem sie mit Salben nicht mehr zu heilen war. Da erfuhr ich von Ihren Ratschlägen und trank, über den Tag verteilt, viel Brennesseltee, machte Schwedenkräuter-Umschläge und nahm außerdem dreimal täglich 15 Schwe-denbittertropfen. Nach vierzehn Tagen war von einer Schleimbeutelentzündung nichts mehr zu sehen. Auch mein Allgemeinbefinden ist wieder gut. Gegen meinen **niedrigen Blutdruck** trank ich Misteltee; mein Mann konnte seinen **hohen Blutdruck** auch damit normalisieren. Ein Kollege meines Mannes hatte am Ellbogen eine gänseeigroße **Schleimbeutelentzündung** mit sehr heftigen Schmerzen, außerdem war seine Gemütsverfassung sehr schlecht. Auch er sollte operiert werden. Mit der gleichen Anwendung wie bei mir war er in drei Wochen völlig gesund.

Ich selbst hatte längere Zeit hindurch einen unangenehmen **Ausfluß**. Nachdem ich eine Zeitlang Schaf-garben-, Brennessel- und Zinnkrauttee getrunken habe, war auch dieses Unheil aus der Welt geschafft. Nun trinkt meine Familie viel Tee in allen Mischungen. Am Abend gibt es für alle eine Tasse Ehrenpreis-tee mit Selleriewurzel und alle schlafen selig!«

*Frau L. H. aus B. schreibt:*

»Ich möchte mich vor allem für die Broschüre ‚Gesundheit aus der Apotheke Gottes‘ bedanken. Eine Bekannte hatte jedesmal nach dem Einnehmen von Schwedenbitter erbrochen. Seit sie nun den aus Österreich einnimmt, hat das **Erbrechen** aufgehört. Ich habe großes Vertrauen zu den Heilkräutern und wende sie gerne für unsere Familie an. Auch empfehle ich sie ganz selbstverständlich, wo immer ich Kranke ‚zufällig‘ treffe. In den Zufälligkeiten sehe ich Gottes Fügung. Tausendmal Vergeltsgott! Ich grüße Sie auch im Namen meiner Familie und der Kranken, wünsche für Sie Frieden und Heil!«

*Frau Th. B. aus G. schreibt:*

»Vor ca. drei Wochen hat mich ein Hund in den Arm gebissen. Die **Bißwunde** hat sehr geblutet und sah böse aus. Ich habe mir zu Hause Ringelblumensalbe dick auf die Wunde gestrichen und innerhalb von zehn Minuten waren die Schmerzen weg. In zwei Tagen war alles vollkommen zugeheilt. Heute, nach drei Wochen, sieht man nicht einmal mehr eine Narbe. Etwas anderes habe ich nicht gemacht, nur immer wieder die Salbe daraufgestrichen. Wenn ich nicht außer dem Tierarzt noch weitere vier Zeugen hätte, würde mir niemand den Hundebiß glauben.«

*Frau A. M. B. aus B. K. schreibt:*

»Vor einiger Zeit hörte ich auf Cassetten von Ihrer ‚Apotheke Gottes‘, auf denen Sie von der Heilkraft der Kräuter gesprochen haben. Da ich seit längerer Zeit an **Ischias** im rechten Bein bis hinauf zur Hüfte litt und trotz einer Serie von Spritzen, Massagen und auch Einrenkungen keinen spürbaren Erfolg hatte, fing ich im Frühjahr eine Behandlung mit frischen Brennesseln, innerlich und äußerlich, und später mit Zinnkraut an; in einigen Wochen war ich schmerzfrei und konnte wieder wie früher ohne Schmerzen Treppen und Stufen gehen. Ich wünsche Ihnen von Herzen weiterhin viel Erfolg.«

*Frau I. L. aus K. schreibt:*

»Ich habe mir Ihr Buch ‚Gesundheit aus der Apotheke Gottes' besorgt und bin fleißig beim Kräutertee-Trinken. Für Ihr Buch und Ihr Bemühen, dies allen bekanntzugeben, sage ich Ihnen aufrichtigsten Dank. Etwas möchte ich noch hinzufügen: Meine Mutter war eine große Heilkräuter-Anhängerin. In den Kriegs- und Nachkriegsjahren sagte sie oftmals: ‚Kinder sammelt alle Kräuter, die wir kennen, sie erhalten uns gesund!' Mein Bruder war als kleiner Junge sehr krank. Unser Hausarzt wurde durch einen jüngeren Arzt vertreten, der sich jedoch nicht zu helfen wußte. Mein Bruder hatte bei einer **Lungenentzündung** so hohes Fieber, daß er sich nicht mehr auskannte und die Wände hochklettern wollte. Meine Mutter holte Thymian (Quendel) und badete ihn darin. Bereits die darauffolgende Nacht schlief er ruhig bis zum Morgen. Nach drei Tagen badete sie ihn nochmals in diesem Bad, machte es jedoch etwas schwächer, und mein Bruder war gesund – mit 200 g Thymian und 15 Minuten Badezeit!

Als meine Mutter im 72. Lebensjahr stand, konnte sie eines Morgens nicht aufstehen. Der Arzt stellte **Lungen- und Rippenfellentzündung** fest. Da sie keinerlei Antibiotika vertrug, war der Arzt ratlos. Als er weggegangen war, richtete ich meiner Mutter ein Thymianbad an und stellte die Kräuterreste nochmals mit kaltem Wasser zu. Beim nächsten Besuch war der Arzt über den Zustand der Patientin überrascht, ließ das Bad jedoch nicht gelten. Am dritten Tag machte ich meiner Mutter nochmals ein Bad von den restlichen ausgedrückten Kräutern und sie wurde damit gesund. Ein Thymianbad hat im Bekanntenkreis noch niemals seine gute Wirkung verfehlt. Gleichzeitig möchte ich Sie fragen, ob Sie die Heilpflanze ‚Halber Gaul' kennen? Es ist eine wildgewachsene Runkelrübenart und wächst überall auf mageren Böden. Die abgestreiften Samen wirken garantiert bei jedem **Durchfall**. Sie halfen uns während der Nachkriegszeit bei einer Ruhrepidemie; unser ganzer Betrieb trank Tee davon und alles wurde gesund. Diesen Tee nehme ich stets zu einer Reise in den Süden mit und er hat niemals seine Wirkung verfehlt. Nochmals Dank für Ihre Mühen und dem einmaligen Buchgeschenk! Unser Herrgott möge Ihnen wieder und wieder die Kraft geben, anderen Menschen zu helfen!«


*Frau Hilde T. aus München schreibt am 24. Oktober 1978:*

»Meine Schwester hatte mit sehr unangenehmen **Wechseljahren** zu tun. Trotz ärztlicher Behandlungen ist kein Erfolg eingetreten. Im Juni fing sie mit den Schwedenbittertropfen an; nach dem Verbrauch einer ½ Flasche sind alle Beschwerden, besonders die starken Wallungen, vollkommen verschwunden; sie fühlt sich auch in anderer Hinsicht wohl.«


*Frau R. aus München schreibt am 25. Oktober 1978:*

»Es ist längst an der Zeit, Ihnen liebe Frau Treben ein herzliches Vergeltsgott zu sagen. Im September 1977 habe ich Sie telefonisch für unseren damals 13-jährigen Sohn Martin um Rat gebeten. Die Diagnose der Ärzte: **Neurodermitis**.

13 Jahre lang sind wir mit ihm von Kinderarzt zu Kinderarzt, dermatologischen Kliniken und Heilpraktikern gezogen – ohne Erfolg. Von den Ärzten wurde immer wieder Cortison verabreicht. Mit sieben Jahren war er zwei Monate in Davos. Der dortige Arzt erklärte uns, die Krankheit sei dem Kind in die Wiege gelegt, es gäbe keine Heilung und man müßte jeden Schub mit Cortison beantworten. Was in den Wochen und Jahren nach diesem Kuraufenthalt kam, war furchtbar. Fieberanfälle am laufenden Band, Eiterherde an den Fußsohlen bis zu den Knöcheln, die Handflächen eitrig; Kniekehlen, Ohrläppchen, Hals und Gesicht offen. Das Schlimmste dabei das ewige Jucken, taubeneigroße Drüsen in der Leiste, sodaß er keinen Schritt mehr ohne Schmerzen gehen konnte. Im September 1972 war es so schlimm, daß wir ihn ins Kinderkrankenhaus bringen mußten. Die Ärzte sprachen von einer Hautsepsis. Nach einer intensiven Cortison-Behandlung kam es zu einer eitrigen Blinddarmentzündung. Ein Arzt sagte uns damals: ‚Sind sie froh, daß es der Blinddarm war, andere Kinder bekommen nach einer solchen Behandlung Magengeschwüre.' Tests hatten ergeben, daß Martin auf sämtliche Gräser, Pollen, Haare, Pilze und Staubarten hin neuerlich Ausschlag bekam. Von Februar 1973 bis Juli 1978 wurde desensibilisiert (das heißt dagegen unempfindlich machen). Es kam aber zu keiner Besserung.

Seit September 1977 trinkt Martin, auf Ihren guten Rat hin, pro Tag ca. eineinhalb Liter Tee gegen die Schuppenflechte, über die Sie in Ihrer Broschüre schrieben. Anfangs trank er den Tee sehr widerwillig, was uns nicht wunderte, denn er hatte ja schon so vieles ganz vergebens probiert. Er hatte einfach keine Hoffnung mehr. Seine erste Feststellung war: ‚Mutti, bei mir geht furchtbar viel Wasser weg!'

Nach 14 Tagen kam ich morgens ins Kinderzimmer, um ihn zu wecken, da sagte er: ‚Mutti, ich war noch nicht richtig im Bett und bin eingeschlafen!' Ins Bett gehen war für Martin — man kann sagen vom Säuglingsalter an — ein Alptraum: Jucken und Kratzen, er konnte nicht einschlafen, lag stundenlang, ja halbe Nächte wach. — Von diesem ersten Einschlafen an war Martin überzeugt, daß der Tee eine gute Wirkung für ihn hat und er bemühte sich täglich, seine Flasche leer zu bekommen. Die Haut hat sich nun auch wesentlich gebessert. Hie und da wird noch gekratzt, doch es kam, seit er den Tee trinkt, zu keiner einzigen Infektion. Wir können es manchmal gar nicht fassen. Seit Jänner 1978 ist er ohne Verbände und Baumwollhandschuhe.

Martin geht jetzt in die neunte Klasse eines neusprachlichen Gymnasiums. Das Schuljahr 1977/78 war für ihn das erste Jahr, ohne Wochen und Monate krank sein zu müssen. Sie können sich nicht vorstellen, wie er in diesem Jahr aufblühte! Seit September 1978 nimmt er nach ca. vier Jahren wieder am Sportunterricht teil und ist selig. Im Juli wurde die Desensibilisierung abgeschlossen. Die Ärzte vom Krankenhaus haben keine Erklärung für das Besserwerden der Haut. Ohne Umschweife erklärte man dem Kind, es müßte wahrscheinlich mit Asthma-Anfällen rechnen. Im ersten Augenblick war es ein Schlag für uns alle. Von anderer Seite wurde uns jedoch gesagt, wenn sich die Haut durch Cortison gebessert hätte, wären schon längst Asthma-Anfälle hier. — Für Ihre große Aufgabe Gottes Gnaden und Segen!«

*Frau L. D. aus E. schreibt am 6. November 1978:*

»Heute möchte ich Ihnen, liebe Frau Treben, von ganzem Herzen danken für Ihre Ratschläge hinsichtlich des Kleinblütigen Weidenrösleins. Mein Mann war kürzlich verreist und kehrte mit furchtbaren **Leibschmerzen** zurück. Er glaubte zunächst, etwas gegessen zu haben, was ihm nicht paßte. Die Schmerzen steigerten sich mehr und mehr, sodaß ich schließlich den Arzt kommen ließ. Der Arzt konnte nicht feststellen, worauf die Schmerzen zurückzuführen waren und äußerte die Meinung, die Schmerzen rührten vom Magen oder Darm her, oder, weil auch das Wassermachen nicht richtig funktioniere, könnten die **Beschwerden** auch von **der Blase** kommen. Der Arzt verabreichte meinem Mann eine krampflösende Spritze und gab ihm außerdem etwas gegen die Schmerzen. Die Schmerzen ließen aber noch lange nicht nach. Da der Arzt auch von der Blase gesprochen hatte, erinnerte ich mich an Ihre Empfehlungen gegen Blasenleiden, holte aus unserem Garten das Kleinblütige Weidenröschen und bereitete einen Tee. Gegen 21.30 Uhr nahm mein Mann davon die erste Tasse. Um Mitternacht konnte er urinieren und trank daraufhin beglückt wieder eine Tasse von dem Tee. Gegen drei Uhr früh verspürte er plötzlich einen starken Schmerz, der durch den ganzen Leib ging. Aber plötzlich waren alle Schmerzen wie weggeblasen. Am Morgen zeigte mir mein Mann einen kleinen runden Stein, der beim Urinieren weggegangen war. Schon gegen 7.30 Uhr kam der Arzt, um nach dem Befinden seines Patienten zu sehen; wie war er überrascht, als er meinen Mann bereits bei der Arbeit antraf, der ihm dann den Hergang berichtete. Erleichtert meinte der Arzt: ‚Ich gratuliere zur Geburt des Steines.' Wir haben keinen Zweifel daran, das Kleinblütige Weidenröschen brachte diesen Heilerfolg . . .«

*Herr Erich D. aus Kl. H. schreibt:*

»Mein Vater litt jahrelang an **offenen**, sehr **geschwollenen Füßen**, die eine Flüssigkeit absonderten und starken **Juckreiz** auslösten. Krämpfe vertieften das Leiden zur Unerträglichkeit. Nun nahmen wir abends vor dem Schlafengehen Kohlblätter (die Rippe herausgeschnitten), walkten sie mit dem Nudelholz bis sie feucht wurden, legten sie auf die kranken Stellen und umwickelten sie mit Baumwolltüchern. Nach vier Wochen waren alle Beschwerden weg, die Beine zugeheilt: seither brachen die früher offenen Stellen niemals auf.«

*W. und E. B. aus Heilbronn schreiben am 6. November 1978:*

»Am 2. Mai wurden wir zu einer 74-jährigen Frau gerufen, sie hätte solche Schmerzen wegen ihrem **offenen Bein**, daß sie trotz Schmerztabletten ohnmächtig werde. Der Arzt sagte, er komme nicht mehr, sie müsse ins Krankenhaus, es gibt keine Hilfe, ihr Bein müsse amputiert werden. Als wir das Bein sahen, sind wir doch etwas erschrocken. Seit 1942 habe die Frau dieses offene Bein, zwei Männerhände reichten nicht aus für die Größe der Wunde. Nur vorne am Schienbein waren noch ca. 2 bis 3 cm heil. Eine fast trockene schwarz-grüne Wunde, oben an der Wade ganz verhärtet und dabei ganz böse Schmerzen!

Von unserem biologisch gedüngten Garten hatten wir gleich Spitzwegerich mitgebracht. Die Wunde belebte sich sofort wieder, eiterte und blutete in den nächsten Tagen. Mit Spitzwegerich, Käsepappel, Zinnkraut und Ringelblumensalbe ist die Wunde in gut drei Monaten geheilt und wie schön: ohne Narben, die Haut wie die eines Kleinkindes. Innerlich natürlich Brennesseltee und den Schwedenbitter. Wir freuen uns, daß wir mit Ihren Ratschlägen helfen konnten. Alles geschehe zur größeren Ehre und Verherrlichung Gottes!

Bei drei Fällen konnten wir mit Majoran, in Öl angesetzt, und natürlich mit Brennessel-, Schafgarben- und Ringelblumentee, sowie dem Schwedenbitter bei **Brustgeschwülsten** helfen. – Zuckerkranke bedanken sich für Ihre wertvollen Ratschläge. Was hat das liebe Kleinblütige Weidenröschen schon geholfen! So könnte ich noch viele anführen. Es ist unmöglich, alles aufzuzählen! Aber jeden Tag gilt es zu danken, entweder für uns selbst oder für andere, denen Hilfe zuteil wurde.«

*Frau M. E. St. aus M. schreibt am 7. November 1978:*

»Ich habe eine große Freude erlebt und möchte sie auch Ihnen mitteilen. Die **Hautwucherung** nahe am Hals, nachdem sie 20 Jahre lang nicht wegzubringen war, ist jetzt drauf und dran, zu verdorren. Sie können sich denken, daß ich doppelt glücklich bin, Ihren Rat befolgt zu haben, mich nicht operieren zu lassen, da endlich durch den Schwedenbitter diese Wucherungen vergehen.«

*Frau W. aus Schw. G. schreibt am 10. November 1978:*

»Ein herzliches Dankeschön! Durch Ihre Weidenröschen hat sich bei meinem Mann das **Prostata-Leiden** sosehr gebessert, daß eine Operation nicht mehr erforderlich ist. – Ich selbst habe ein schweres **Nierenleiden**. Mein Arzt in Stuttgart hat mich aufgegeben. Nun trinke ich erst seit drei Wochen den in Ihrer Broschüre angegebenen Labkraut-, Waldgoldruten- und Gelben Taubnesseltee – zu gleichen Teilen gemischt – und es geht wieder Urin ab, was vorher nur mehr tropfenweise geschah. Wie dankbar mein Mann und ich Ihnen sind, kann man in Worten nicht ausdrücken ...«

*Frau F. O. aus G. Ö. schreibt am 17. November 1978:*

»Mein 38-jähriger Sohn hatte zum zweiten Mal eine heftige **Prostata-Entzündung** und vertrug die schweren Antibiotika nicht mehr. Nachdem er drei Tage lang Tee vom Kleinblütigen Weidenröschen getrunken hatte, konnte er die Medikamente absetzen.«

*Telefonanruf eines Pfarrers aus NÖ. im November 1978:*

»Meine starken **Gedächtnislücken** waren überraschend in 14 Tagen mit Ehrenpreis- und Zinnkrauttee – zu gleichen Teilen, zwei Tassen am Tag – verschwunden. Mir sind schon während meiner Predigt wichtige Worte entfallen. Ich wurde unsicher und nervös. Die Kräuter haben unglaublich rasch geholfen.

—————

Auch meiner Nichte, einer Krankenschwester, skeptisch den Heilkräutern gegenüber, haben Zinnkraut-Sitzbäder augenblicklich geholfen. Sie hatte jahrelang mit den **Bandscheiben** zu tun. Nichts half. Ich setzte ihr zu, bis sie sich ein Zinnkraut-Sitzbad richtete. Es ist so, wie Sie in Ihrem Artikel ‚Zinnkraut‘ schreiben: ‚Augenblicklich vergehen die Schmerzen!‘«

*Frau E. M. aus Wien schreibt im November 1978:*

»Wir haben Brennessel, Schwedenbitter und das Kleinblütige Weidenröschen mit Erfolg angewendet. Mein Mann hatte bei seiner **Prostata-Erkrankung** Injektionen bekommen, auf die er nicht ansprach. Er war verzweifelt. Das Kleinblütige Weidenröschen hat bereits ein paar Tage später eine merkliche Besserung gebracht.«

*Herr H. A. aus E. schreibt am 21. November 1978:*

»Ich habe mir durch Ihre Ratschläge in der Broschüre ,Gesundheit aus der Apotheke Gottes' mit Klein-blütigem Weidenröschen mein **Prostata-Leiden** völlig ausgeheilt. Ebenso haben meine schwachen und weichen Leistenringe schon seit 15 Jahren schmerzhafte Beschwerden verursacht. Ich wurde bereits deshalb operiert; nach kurzer Zeit waren die Schmerzen wieder da. Jetzt habe ich dieses Übel mit Hirten-täschel- und Brennesseltee ausgeheilt.«

*Herr K. B. aus S. schreibt am 2. Dezember 1978:*

»Ich möchte Ihnen vor allem mitteilen, daß meine Frau seit vielen Jahren Schwierigkeiten mit dem **hohen Blutdruck** und mit ihrem Herz hatte, deshalb regelmäßig Medikamente einnahm. Nach nur drei Wochen ein bis zwei Tassen Misteltee, täglich getrunken, hat sich der Blutdruck normalisiert.«

*Herr L. S. aus Z./NÖ. schreibt am 10. Dezember 1978:*

»Seit etwa 15 Jahren hatte ich zwischen den Zehen einen **Fußpilz**. Im Laufe der vielen Jahre verwendete ich verschiedene Tinkturen, die der Arzt verschrieben hatte; aber eine Heilung trat nicht ein. Nach dem Rezept in Ihrer Broschüre stellte meine Frau die großartige Ringelblumensalbe her. Zu unserer großen Überraschung verschwand der Pilz. Die Füße sind rein und gesund, es juckt, näßt und beißt nicht mehr.«

*Frau G. J. aus B./Schweiz schreibt im Dezember 1978:*

»Ich möchte Ihnen von einem 75-jährigen Patienten mit **Angina pectoris** berichten, der jahrelang beäng-stigende Beschwerden hatte. Im Frühsommer begann er nach der Teekur (mit Ringelblume, Schafgarbe und Brennessel) mit einer zweieinhalbwöchigen Brennesselsaftkur und mit zwei Herzbädern mit Brenn-nesselabsud. Seit dieser Zeit dauert sein Wohlbefinden an.«

*Frau Maria F. aus G./NÖ. schreibt am 17. Dezember 1978:*

»Ich möchte Ihnen für Ihre guten Ratschläge tausendmal Vergeltsgott sagen. Ich habe sofort ange-fangen, den Ringelblumen-, Schafgarben- und Brennesseltee zu trinken und die Ringelblumensalbe aufzulegen. Die **Absonderungen der Brust** haben aufgehört. Der liebe Gott möge Ihnen all das Gute, das Sie für die leidenden, kranken und verzagten Menschen tun, tausendfach vergelten!«

*Familie A. und R. K. schreibt am 17. Dezember 1978:*

»Im Jänner dieses Jahres wandte ich mich um Rat an Sie. Wir waren schon fünfeinhalb Jahre verheiratet und unser **Wunsch nach Kindern** blieb unerfüllt. Sie rieten Frauenmantel- und Schafgarbentee zu trin-ken und den frisch gepreßten Saft der Mistel einzunehmen. Zu unserer Freude können wir Ihnen mit-teilen, daß meine Frau Anfang April ein Baby erwartet. Wir sind sehr glücklich darüber.«

*Frau J. G. aus NÖ. schreibt am 18. Dezember 1978:*

»Die Verwandte meines hochwürdigen Herrn Monsignore hatte eine **Nierenbeckenentzündung**. Durch die Zinnkraut-Sitzbäder fühlt sie sich schon wieder sehr wohl.«

*Frau K. Sch. aus Vorarlberg schreibt am 18. Dezember 1978:*

»Ihre Broschüre regt zum Kräutersammeln an. Das Interesse ist allgemein groß. Mir tut der Bärlapp so gut, daß ich keine Schmerzen mehr habe. Die Mistel hilft gegen meinen **hohen Blutdruck**. Täglich abends vor dem Schlafengehen nehme ich Schwedenbittertropfen. Ich fühle mich seit dem letzten Herbst gesundheitlich viel wohler.«

*Familie Sch. aus Wien schreibt am 20. Dezember 1978:*

»Es ist jetzt ein gutes halbes Jahr her, seit wir Ihre Ratschläge erhielten. Wir haben uns sehr bemüht, diese auch zu befolgen. Da wir keine Kräuter kennen, ist es für uns nicht leicht, sie zu beschaffen. Schwedenkräuter haben wir angesetzt, sie helfen uns bei allen Leiden. Mein Mann hat durch den Brennnesseltee seine **Allergie** verloren, das Kleinblütige Weidenröschen hat meinem Schwiegervater sehr geholfen. Auch Ihr **Akne**-Rezept hat eingeschlagen, auch Ihr Herzwein ist in regem Gebrauch.«


*Familie W. aus M. schreibt am 21. Dezember 1978:*

»Es drängt uns von Herzen, Ihnen einmal ein herzliches Vergeltsgott zu sagen für alle Mühe, die Sie schon auf sich genommen haben, um anderen Menschen zu helfen. Wir nehmen die Kräuter nach Ihren Ratschlägen und sind gesund. Mein Sohn hatte seit zwei Jahren einen **Pilz** an den Händen, versuchte es bei acht Ärzten, jedoch ohne Erfolg. Die Ringelblumensalbe hat ihn nun endlich von diesem Übel befreit.«


*Frau M. G. aus E. schreibt am 28. Dezember 1978:*

»Eine Dame von hier, die drei Jahre lang mit schmerzhafte **Ischias** in ärztlicher Behandlung stand, hat nach sechs Brennessel-Vollbäder im Laufe eines halben Jahres alle Schmerzen verloren.«


*Frau D. St. aus E. schreibt am 14. Jänner 1979:*

»Nach Ihren Ratschlägen verwendete meine Schwägerin seit einiger Zeit mit bestem Erfolg Misteltee zur **Blutdrucksenkung**. Ein Freund unseres Hauses hat eine wuchernde **Operationswunde** mit Hilfe des Schwedenbitters flach und unempfindlich machen können. Wir alle danken Ihnen für Ihre Aufzeichnungen.«


*Frau L. Z. aus D. schreibt am 15. Jänner 1979:*

»Im Herbst schrieb ich voll Verzweiflung an Sie. Ich hatte vor ein paar Jahren **Gelbsucht** und bin seither nicht wieder gesund geworden. Heute kann ich Ihnen voll Freude und Dankbarkeit schreiben, daß es mir gut geht. Meine Müdigkeit ist fast ganz verschwunden. Durch Bärlapptee hatte ich bereits nach einem Tag die argen Schmerzen auf der rechten Seite unter den Rippen weg. Dank Ihrer Hilfe kann ich heute wieder arbeiten, von morgens bis abends.«


*Eine Ordensschwester aus dem Schwarzwald schreibt am 18. Jänner 1979:*

»Ihre Broschüren sind auch in unserer Gegend so gut angelaufen, daß ich Ihnen mit einem herzlichen Vergeltsgott für all das Gute danken will, das Sie uns allen damit geschenkt haben. Ein 50-jähriger Bauer erkrankte an **Leukämie**. Ich habe ihm in meiner Freizeit all die Kräuter gesammelt, die in Ihrer Broschüre unter ‚Leukämie' angegeben sind. Neben einer Diät hatte er das angegebene Quantum täglich eingehalten. Nun geht es ihm gut und er kann seiner Arbeit als Bauer wieder nachgehen.«


*Frau A. B. aus N. R./NÖ. schreibt am 1. Februar 1979:*

»Mit großer Begeisterung habe ich Ihre Ratschläge in der ‚Apotheke Gottes' gelesen. Ich war fast ein Jahr mit einer entzündeten, sehr **geschwollenen Zehe** in ärztlicher Behandlung. Die Schmerzen waren unerträglich. Ich konnte — selbst im Spätherbst — nur zehenfreie Schuhe tragen. Da versuchte ich es mit Käsepappelbäder und Schwedenkräuter-Umschläge. Nach drei Tagen öffnete sich ein Eiterherd und nach drei weiteren Tagen war der Fuß vollkommen in Ordnung. Ich war überglücklich, daß die Sache ohne Operation endete.«

*Herr J. H. aus Z./NÖ. schreibt am 7. Februar 1979:*

»Im November 1977 haben wir mit unserer jetzt 19-jährigen Tochter bei Ihnen vorgesprochen. Sie hatte nach der Operation eines Oberschenkelsarkoms **Metastasen** in der Lunge. Ihr Zustand war aussichtslos. Auf Ihre Empfehlung trinkt meine Tochter seit dieser Zeit Ringelblumen-, Schafgarben- und Hirtentäscheltee, nimmt auch Schwedenbitter — verdünnt — in diesem Tee. Auch Umschläge werden aus oben genannten Kräutern gemacht. Bei einer kürzlich erfolgten Nachuntersuchung wurde die Lunge vollständig normal befunden, auch Metastasen wurden keine mehr festgestellt.«

*Frau Dr. A. L. aus W. schreibt am 14. Februar 1979:*

»Als Leserin und ‚Praktikantin‘ Ihrer Broschüre möchte ich mich heute mit einem herzlichen Dankeschön einstellen. Mit e i n e m e i n z i g e n Z i n n k r a u t - S i t z b a d sind bei mir die schon seit Monaten bestehenden **Bandscheiben-Schmerzen** über Nacht spurlos verschwunden. Die Schmerzen waren so arg, daß ich mich nachts im Bett kaum von einer Seite auf die andere drehen konnte. Das Bad nahm ich ca. Mitte Dezember. Bis heute sind keine Schmerzen mehr aufgetreten.

Der zweite Erfolg: 1970 entstand bei mir ein sehr schmerzhaftes **Cervikalsyndrom**. Röntgenologisch war nur eine leichte Abnützung im Bereich des vierten und fünften Halswirbels zu sehen und eine sogenannte ‚gestreckte Fehlhaltung‘ der Halswirbelsäule — ich vermute dadurch, weil ich beruflich seit etwa 18 Jahren das stets links von mir am Schreibtisch stehende Telefon zu stundenlangen Gesprächen benützte. Die Schmerzen in der Hals- und Nackenmuskulatur widerstanden seit Jahren allen durchgeführten physikalischen Behandlungen, wie Streckung, Kurzwelle, Massagen, Bäder. Nach der letzten Badekur steigerten sich die Schmerzen noch bedeutend. Mitte November 1978 begann ich mit Brennessel-, Zinnkrauttee und Schwedenbitter, wie in Ihrer Broschüre unter ‚Arthritis, Arthrose‘ angegeben ist. Ich rieb Nacken und Halsgegend mit Schwedenbitter ein. Nach vier bis fünf Tagen waren die Nackenschmerzen verschwunden.

Ein weiterer für mich sehr bedeutender Erfolg: 14 Tage nach Einnahme des Schwedenbitters stellte sich eine bedeutende Steigerung der körperlichen und geistigen Leistungsfähigkeit, geringere Ermüdbarkeit, merkliches Wohlbefinden ein. Besonders die ständige **Müdigkeit**, ein Überbleibsel nach einer schweren Erkrankung aus dem Jahr 1971, verschwand seither. Auch hatte ich keine **Erkältung** mehr, worunter ich sonst jeden Winter zu leiden hatte.«

*Frau G. Sch. aus R./BRD schreibt am 15. Februar 1979:*

»Sie gaben mir am 15. Jänner 1979 für meinen schwer erkrankten Mann Heilkräuter-Ratschläge. Mein Mann trank 14 Tage täglich nüchtern eine Tasse Bärlapptee. Ich machte ihm täglich Schwedenkräuter-Umschläge auf die Leber- und Nierengegend, tagsüber vier Stunden lang, über Nacht Zinnkraut-Dunstumschläge auf die gleichen Stellen. Zu unserer großen Freude ging es meinem Mann bereits nach zwei Tagen bedeutend besser. Meinem Mann wurde 1970 wegen **Vereiterung** die linke **Niere** operativ entfernt. Nun wurde ärztlicherseits ein Blutbild gemacht. Obwohl er die ganzen Jahre hindurch mit Medikamenten behandelt wurde, waren die Blutwerte niemals so gut wie jetzt, seit wir mit den von Ihnen empfohlenen Heilkräutern arbeiten. Unser Herrgott möge Sie noch lange beschützen und gesund erhalten!«

*Frau Käthe H. aus M. schreibt am 18. Februar 1979:*

»Ich habe die besten Erfahrungen mit Hirtentäschel bei meinem **Leistenbruch** gemacht.
Täglich streiche ich die **Augenlider** mit Schwedenbitter ein, weil die Linsen geschwächt waren. Ich bin 78 Jahre alt. Nun sind die Augen wieder ganz in Ordnung. Ich schreibe und lese alles wieder ohne Brille, dank SEINER Güte. Ihnen ein herzliches Vergeltsgott!«

*Herr O. W. aus W. schreibt am 19. Februar 1979:*

»Meine Schwiegermutter **verbrühte** sich mit kochendem Wasser eine Hand. Durch Auflegen eines mit Schwedenbitter befeuchteten Tuches durfte sie innerhalb weniger Stunden Heilung erfahren. Sie sagte: ‚Das ist ein Wunder, so etwas habe ich noch nie erlebt!‘«

*Telefonanruf von Frau V. K. aus G. am 20. Februar 1979:*

»Ich hatte eine bösartige **Geschwulst an der Blase**, dadurch starke Blutungen. Durch Zinnkraut-Dunstumschläge, Trinken von Hirtentäschel- und auch Ringelblumen-, Schafgarben- und Brennesseltee hat sich die Geschwulst sehr stark zurückgebildet. Die Untersuchung beim Urologen ergab nur noch eine geringe Größe. Nach der ersten Tasse Hirtentäscheltee hörte auch die Blutung sofort auf.«

*Frau L. Sp. aus St. L. schreibt am 21. Februar 1979:*

»Mein Schwager stand vor einer **Hüftgelenks**operation. Ich schenkte ihm Ihre Broschüre. Seit er die unter ‚Arthrose, Arthritis, Coxarthrose' angeführten Kräutertees trinkt, denkt er nicht mehr an eine Operation und sagte vor ein paar Tagen: ich habe mich schon seit zehn Jahren nicht mehr so wohl gefühlt.

———

Die Ringelblumensalbe, die ich mir aus den in meinem Garten angepflanzten Ringelblumen nach Ihrem Rezept selbst herstellte, hilft mir gegen meine **Krampfadern**; sogar bei einem Kind, das blaue Stellen von der Kälte hatte, hat sie geholfen. Tausend Dank und Vergeltsgott; denn nur der Glaube hilft zu großer Leistung und Hingabe.«

*Herr Ernst D. aus H. schreibt am 28. Februar 1979:*

»Ich bekam, ca. 8 cm vom After entfernt, am **Dickdarm einen Polyp**, der sich als bösartig herausstellte. Man machte mich auf Ihre Broschüre aufmerksam und ich fand die Abhandlung ‚bösartige Darmerkrankung'. Ich habe all das, was Sie da schreiben, genau eingehalten: die sechs Schluck Kalmuswurzeltee, über Nacht kalt angesetzt und im Wasserbad angewärmt, vor und nach jeder Mahlzeit getrunken, ebenso Ringelblumen-, Brennessel-, Schafgarbentee, eineinhalb Liter pro Tag und den Schwedenbitter, verdünnt mit Tee. Nun hoffe und glaube ich, daß ich ohne Operation gesund werden kann, da ich mich schon wesentlich besser fühle.«

*Frau C. D. aus E. schreibt Anfang März 1979:*

»Den von Ihnen beschriebenen Schwedenbitter haben wir sehr erfolgreich angewendet gegen **Zahnfleischentzündungen, Nasenbluten, Brand- und Schnittwunden, Hals- und Leibschmerzen**. Eine **Grippe** war innerhalb von vier Tagen verschwunden. Das Essen bekommt besser und schlafen können wir wie nie zuvor. Wir fühlen uns rundum prächtig. Seit 35 Jahren ist mein linkes Ellenbogengelenk steif und daher auch das **Handgelenk** nicht voll beweglich. Aber nun scheint es mir, daß die Fingergelenke wieder beweglicher werden.«

*Herr J. H. aus B. schreibt am 4. März 1979:*

»Im März 1978 stellte der Arzt ein **bösartiges Geschwür** an der **Prostata** fest, das nicht auf die Blase, sondern nach hinten auf den Ischiasnerv drückte. Ich wurde operiert. Aber die Schmerzen wurden immer ärger. Im Juni 1978 wurden die **Rückenschmerzen** so stark, daß ich mich nicht mehr aufrecht bewegen, noch stehen konnte. Mein Zustand wurde von Tag zu Tag schlechter, ich magerte ab, konnte nichts mehr essen, mußte immer nur erbrechen und rechnete mit meinem Tode. Ich wog nur noch 48 kg. Zu dieser Zeit bekam meine Frau Ihr Buch in die Hände, dazu Schwedenbitter, Ringelblumensalbe, Weidenröschen, Brennessel, Spitzwegerich und Schafgarbe. Meine Frau brachte mir täglich zwei Liter Tee ins Krankenhaus. Nach sieben Tagen saß ich bereits aufrecht im Bett und konnte leichte Sachen wie Pudding, Grießbrei usw. essen, ohne zu erbrechen. Als ich aus dem Krankenhaus kam, trank ich den Tee weiter, machte noch nebenbei Sitzbäder von Brennessel und Zinnkraut. Mein Zustand wurde immer besser, mit dem Appetit kam auch die Gewichtszunahme. Daß ich heute mein Normalgewicht wieder habe, ohne Stock und Krücken gehe, verdanke ich nur den Heilkräutern, die mir in meinem aussichtslosen Zustand geholfen haben. Wenn ich mich heute meines wieder gewonnenen Lebens freuen kann, darf ich das Ihnen, liebe Frau Treben, in erster Linie danken, Ihnen und Ihrem Buch, das viele Menschen zur Gesundheit zurückführt.«

*Frau A. H. aus N. schreibt am 5. März 1979:*

»Ich hatte einen **Knoten** in Kirschengröße an einer Stelle, die ich als Frau ungern nenne. Ich legte mir Schwedenkräuter-Umschläge auf und war sprachlos, als nach 2 Tagen der Knoten verschwunden war.«

*Frau S. aus Gr. G./NÖ. schreibt am 14. März 1979:*

»Ein Bekannter mußte wegen einer **Staublunge** seine Rinderzucht aufgeben, da er es nicht mehr schaffen konnte. Röntgenaufnahmen zeigten eitrige Stellen in der Lunge. Nun trank er auf Ihren Rat hin viel Kräutertee. Eine neuerliche Untersuchung ergab, daß die Lunge vollkommen ausgeheilt sei (Zinnkraut-, Huflattich-, Lungenkraut-, Schafgarben- und die sechs Schluck Kalmustee, täglich getrunken, haben die Heilung bewirkt).«

*Frau A. H. aus E. schreibt am 20. März 1979:*

»Unlängst besuchte ich eine 52-jährige schwerkranke Frau. Sie weinte und meinte, es gehe ihr sehr schlecht, sie erbreche seit drei Wochen jedes Essen. Die Ärzte vermuten eine **Darminfektion**, eine angegriffene **Bauchspeicheldrüse**, eventuell auch **Magengeschwüre**; niemand könne ihr mehr helfen. Ich holte ihr gleich Brennessel, Schafgarbe, Wegmalve (Käsepappel), Zinnkraut und Schwedenbitter.

Meine Überraschung war groß als dieses arme, unglückliche Geschöpf, das sich bereits im Grab gesehen hatte, mir bei meinem Kommen — bereits am zweiten Tag — entgegenlachte und mir erzählte, sie hätte nicht mehr erbrochen und auch die **Bauchschmerzen** wären erträglicher geworden. In kurzer Zeit war sie gesund und wieder lebensfroh.«

*Ein Steyler Missionar aus Berlin schreibt am 21. März 1979:*

». . . Einmal besuchte ich eine Frau, die Besuch erwartete, aber weder das Klingeln an der Haustüre noch das Telefon hörte. Der Besucher verständigte die Polizei, diese wiederum die Feuerwehr; diese wollte sich gerade anschicken, die Tür einzuschlagen, als ich dazukam. Der Hausmeister rettete die Situation und ich empfahl bei der Gelegenheit der **schwerhörigen** Frau den Schwedenbitter, den wir hier mit bestem Erfolg selber anwenden. Bereits am vierten Tag nach dem geschilderten Vorfall erzählte mir die Frau, sie könne jetzt das Telefon und auch die Türglocke selbst durch eine geschlossene Zimmertür hören . . .«

*Frau Käthe S. aus H. schreibt am 29. März 1979:*

»Ich hatte des öfteren **Schmerzen** in der linken **Brust** und hatte Angst vor einer etwaigen Operation. Ich legte mir Schwedenkräuter-Umschläge auf, so wie Sie es in Ihrer Broschüre beschreiben. Nach acht Tagen waren alle Schmerzen weg und sie sind bis heute nicht wiedergekommen, obwohl die Sache bereits zwei Jahre zurückliegt.«

*Herr Helmut S. aus Pf. schreibt am 30. März 1979:*

»Unsere Oma legte mir auf die **offene Wunde** am Fuß einen Schwedenkräuter-Umschlag und tagsüber Ringelblumensalbe auf. Nun ist zu unserer Freude alles schön verheilt.«

*Frau Irmgard S. aus I. schreibt am 30. März 1979:*

»Wir können Ihnen gar nicht genug danken, daß Sie diese Kräuterbewegung ins Leben gerufen haben! Es ist ein wirklicher Segen Gottes dabei. Auch wir können schon großartige Erfolge verzeichnen. Eine Frau mit **Leukämie**, welcher der Arzt nur noch ein halbes Jahr Lebenszeit gab, ist durch Ihre Teemischung vollkommen ohne Befund. Genauso ein zehnjähriger Junge, dem durch eine Strahlenbehandlung alle Haare ausgegangen waren, ist wieder so fit, daß er Fußball spielen kann. Eine andere Frau hatte 865 **Cholesterin**werte und ist durch Ehrenpreistee auf 240 gesunken.

―――

Eine ältere Frau hatte täglich morgens schreckliches **Kopfweh**. Sie begann abends eine Tasse Brennnesseltee zu trinken und ist nun völlig ohne Kopfschmerzen.

———

Eine jüngere Frau hatte nach dem dritten Kind nur noch 8,9 **Blutwert** und trotz zweijähriger Behandlung mit Eisenpräparaten ging dieser nur hin und wieder auf 9,2 hinauf. Sie begann Brennnesseltee zu trinken und zwar vier Wochen je drei Tassen und zwei Wochen je eine Tasse täglich. Bei der Untersuchung war der Arzt sehr überrascht: der Blutwert zeigte 13,2.

———

Mein Mann hat einen Wald**zeckenbiß** mit Wiesengeißbart erfolgreich behandelt. — Ein kleiner Junge mit **Mehlunverträglichkeit** ist durch Kalmustee (sechs Schluck am Tag) und abwechselnd Ringelblumen-, Käsepappel- und Schafgarbentee geheilt worden.«

*Frau G. J. aus B./Schweiz schreibt am 3. April 1979:*

»Ich möchte Ihnen meine Freude über die Heilkräuter nicht vorenthalten. Ein etwa 40-jähriger Mann hatte seit dem 20. Lebensjahr ununterbrochen **Kopfschmerzen**. Ärzte, Spezialärzte, Professoren wurden konsultiert, er wurde bestrahlt, durchleuchtet, ohne Erfolg und mit dem Hinweis, nicht helfen zu können. Er begann frischen Brennnesseltee zu trinken und siehe: nach zwei Tagen hatte er das erste Mal nach 20 Jahren keine Kopfschmerzen. Nach einer weiteren Woche erzählte er mir, daß sich die Kopfschmerzen nicht mehr gezeigt haben. Es sei für ihn unvorstellbares Glück, nach 20 Jahren frei von Kopfschmerzen zu sein.«

*Frau M. L. aus P./A. schreibt am 11. April 1979:*

»Im vergangenen Winter konnte ich kaum mehr das Haus verlassen. Ich bekam ein **schmerzhaftes Gefühl in der Nase**, sie wurde rot und geschwollen, selbst auf dem sehr kurzen Kirchweg. Als ich durch Ihr Buch auf den Schwedenbitter kam, begann ich, acht Tage lang, die Nase damit einzustreichen. Die Röte ist nun verschwunden, die Nase wieder normal. Ich danke dem lieben Gott, daß ich dieses Buch kennenlernen durfte.«

*Frau K. S. aus dem Burgenland schreibt am 12. April 1979:*

»Eine bekannte Familie war vor Jahren hier zugezogen. Der Mann vertrug aber das Klima nicht, war oft krank und besonders in den Wintermonaten hatte er jedes Jahr wiederholt **Lungenentzündung**. Sein Leben war einigemale ernstlich in Gefahr. Dank Ihres empfohlenen Schwedenbitters und diverser Teekuren war der Mann im letzten Winter überhaupt nicht krank und die Familie denkt nicht mehr ans Abwandern. Übrigens wurde ich von dieser Familie auf Ihr Kräuterbuch aufmerksam gemacht.

———

Meine 54-jährige Schwester hat einen schweren **Herzmuskelschaden**, außerdem **Krampfadern** und einen dauernd **geschwollenen Fuß**. Seit sie Misteltee trinkt und den Herzwein nimmt, geht es ihr etwas besser und sie kann wenigstens wieder ihre Hausarbeit verrichten. Ringelblumensalbe ließ die Krampfadern verschwinden und die Schmerzen im Fuß abnehmen. Die Schwellung geht allerdings mit dieser Behandlung nicht zurück. Sie ist über die Besserung trotzdem sehr froh und dankbar. (Rat von Frau Treben: Zinnkrauttee, zwei Tassen täglich, morgens und abends so lange trinken, bis die Fußschwellung zurückgeht.)

———

Eine Nachbarin hatte hinter dem Ohr ein winziges **Muttermal**. Dieses begann vor Monaten plötzlich zu jucken, zu wachsen und zu nässen. Es sah wie eine große ungeschälte Mandel aus. Der Arzt sprach von Operation und Bestrahlung. Sie war jedoch bereit, ein Experiment zu wagen. Ringelblumensalbe half nicht. Nach der Schneeschmelze grub ich Schöllkraut samt der Wurzel aus (sie selbst kannte dieses nicht) und brachte es ihr. Seit der von Ihnen empfohlenen Behandlungsmethode wird das Gebilde langsam kleiner und wir hoffen, daß ein chirurgischer Eingriff vermeidbar sein wird.

(Frau Treben antwortet: Die Anwendung mit Schöllkraut ist richtig.)

———

Zum Schluß noch mein eigener Fall: Ich bin Jahrgang 1922 und fühlte mich seit Jahren nicht gesund. **Kreislaufbeschwerden, Durchblutungsstörungen** und vor allem schwere **Erschöpfungszustände** machten mir zu schaffen. Ich bin berufstätig (je halbtags in zwei verschiedenen Büros in der Buchhaltung), bin verheiratet, habe einen Haushalt und ein Haus in Ordnung zu halten. Da die Beschwerden zum Teil auf Überbelastung zurückzuführen waren, war an eine Frühpension nicht zu denken und arbeitsfähig war ich auch kaum mehr. In dieser schwierigen Situation wurde ich auf Ihr Kräuterbuch aufmerksam gemacht. Dieses bestellte ich mir sofort und begann auch gleich mit Misteltee. Schon nach etwa zwei Wochen fühlte ich mich besser, vor allem die **Herzbeschwerden** gingen zurück. Jetzt trinke ich Brennnesseltee und fühle mich von Tag zu Tag besser. Ich bin meinen Aufgaben wieder gewachsen und habe meine Absicht, die Arbeit in einem Büro aufzugeben, vorerst einmal hinausgeschoben. Mit dem Schwedenbitter habe ich überhaupt noch keine Erfahrung, da ich diesen, obwohl bereits im Februar bestellt, erst vor zwei Tagen erhalten habe.«

*Frau R. B. aus R. schreibt am 22. April 1979 an das Pfarramt Vachendorf:*

»Bitte sagen Sie der lieben Frau Treben, das Sitzbad mit den drei Kräutern half sofort. Eine Stunde nach dem Bad fing Anton (fünf Jahre) zu pfeifen an. Es war wie ein Wunder. Vorher winselte er fast vier Tage und Nächte – trotz Zäpfchen – vor Schmerzen. Es war eine schwere **Nieren- und Blasenentzündung** mit Koliken. Durch Ihre Hilfe geschah das Unfaßbare. Anton geht es seither gut. Vielen, vielen herzlichen Dank! Nur Ihrem Einsatz habe ich dies zu verdanken!«

*Frau V. W. aus B. schreibt am 2. Mai 1979:*

»Im Juni 1978 gab mich mein Chefarzt auf. Er lehnte jede Verantwortung ab: **Herzrhythmusstörungen, niedriger Blutdruck, Spondelarthrose, Coxarthrose, Übergewicht und Herzasthma** neben anderen Erkrankungserscheinungen. Am 29. Oktober 1978 bekam ich einen Gehirnschlag, rechts und links **Lähmungserscheinungen**. Ich hörte Ihr Tonband, trank Brennesseltee und folgte Ihren Ratschlägen. Weißkohlblätter linderten meine furchtbaren Schmerzen in den Knien. Es ging mir langsam besser. Auch der schwere **Bronchialhusten** ließ nach. Durch die Brennesseltinktur habe ich in wenigen Wochen 50 Liter und mehr Wasser ausgeschieden. Ich pflanzte in meinem Garten Ringelblumen, versorgte mich ausreichend mit Ringelblumensalbe, mit der ich Knie, Rücken und alle kranken, schmerzenden Körperteile einstrich, auch Einreibungen mit Schwedenbitter nahmen die Schmerzen.«

*Frau Käthe B. schreibt am 6. Mai 1979:*

»Ich machte drei Monate hindurch täglich eine Stunde lang Schwedenkräuter-Umschläge auf die geschlossenen Augen. Ich spürte, daß sich meine **Sehkraft** zusehends besserte, war aber trotzdem sprachlos, als ich vom Arzt eine neue Brille mit zwei Dioptrien weniger verschrieben bekam.«

*Frau R. G. aus Salzburg schreibt am 8. Mai 1979:*

»Meine Mutter (54 Jahre alt) litt seit Jahren an **Rheuma und Ischias**. Die Beschwerden wurden in letzter Zeit zunehmend schlechter. Sie verbrachte schlaflose Nächte und war verzweifelt, weil weder Kuraufenthalte noch andere Behandlungen eine wesentliche und wenn, nur eine kurzfristige Besserung brachten (die Ärzte führten es auf Abnützungserscheinungen zurück). Seit wir Ihr Buch in Händen haben, begann meine Mutter mit Schwedenkräuter-Umschlägen auf die schmerzende Stelle im Kreuz. Die erste Nacht schon brachte deutliche Besserung und Schlaf. Zur Zeit braucht sie keine Umschläge mehr sondern reibt sich täglich mit den Tropfen ein. Sie ist ein anderer Mensch geworden und blüht wieder richtig auf.«

*Familie Dr. K. R. aus G./BRD schreibt am 10. Mai 1979:*

»Seit vier Wochen plagten mich starke, nächtliche **Schweißausbrüche**. Obwohl ich nur drei Tage lang Salbeitee trank, ist er schon, gleich einem Wunder, verschwunden.«

*Frau M. H. schreibt am 14. Mai 1979:*

»Mein Mann hatte seit einigen Monaten einen hartnäckigen **Knoten** unter der Brust. Durch Auflegen von frischem Spitzwegerich ist er bereits am ersten Tag aufgegangen und in wenigen Tagen war alles weg.

———

Ich selbst leide seit über acht Jahren an **Brustkrebs**, der Metastasen in den Knochen auslöste. Seit einem Jahr trinke ich Brennessel- und Ringelblumentee, verwende Schwedenbitter und Ringelblumensalbe. Diese angeführten Kräuter haben mir große Erleichterung gebracht.«


*Frau M. E. aus G./BRD schreibt am 20. Mai 1979:*

»Ein guter Bekannter von uns war jahrelang **zuckerkrank** und brauchte dauernd Spritzen. Nun hat er es mit Tee und Kräutern (nach den Ratschlägen aus Ihrer Broschüre) erreicht, daß der Zucker abgesunken ist. Er steht jedoch laufend unter ärztlicher Kontrolle. Der Arzt war über das Absinken des Zuckerwertes überrascht.«


*Herr Ing. S. aus P. schreibt am 12. Juni 1979:*

»Ich hatte 280 **Blutzucker**wert und bekam ihn mit Pillen nur geringfügig herunter. Als ich Ihre Broschüre kennenlernte, befolgte ich die angegebenen Ratschläge. Nach dieser Zeit wurde bei einer ärztlichen Kontrolle festgestellt, daß der Zucker plötzlich auf 130 herunten war, also ein eindeutiger Erfolg.«


*Frau Sch. aus K. schreibt am 13. Juni 1979:*

»Unserer 17-jährigen Tochter, die unter **Bewußtseinsstörungen** mit Anfällen seit Jahren leidet, geht es nun dank der Kräuterbehandlung wesentlich besser. Vor allem haben die Schwedenkräuter-Umschläge auf den Hinterkopf dazu geführt, daß die Anfälle immer weniger werden.«


*Frau K. S. aus dem Burgenland schreibt am 24. Juni 1979:*

»Meine Schwester hat seit Jahren einen schweren **Herzmuskelschaden**. Durch öfteres Trinken von Frauenmanteltee hat sich in kurzer Zeit ihr Zustand gebessert.«


*Frau L. W. aus K. schreibt am 29. Juni 1979:*

»Ich quälte mich mit einer dick auf**geschwollenen Mandel**. Der Hals-Ohrenspezialist wollte sogleich operieren. Ich stimmte jedoch nicht zu. Über Nacht machte ich einen Schwedenkräuter-Umschlag und bepinselte mittels eines Wattestäbchens mit Schwedenbitter die Mandel. Am nächsten Tag platzte die Mandel und es entleerte sich Blut und Eiter. Darnach gurgelte ich mit Salbei-, später mit Zinnkrauttee. Nach etwa 14 Tagen konnte man weder eine Rötung noch eine Schwellung wahrnehmen.«


*Eine Ordensschwester aus Wien-Mödling schreibt am 3. Juli 1979:*

»Ich erlitt kürzlich eine **Quetschung** zweier Fingerspitzen. Ich legte abwechselnd Spitzwegerichblätter und Schwedenbitter-Umschläge auf. Der Schmerz ließ nach und in acht Tagen sah man nichts mehr von der Quetschung.

———

Seit 1947 war ich durch eine Grippe taub und hatte anhaltendes **Sausen** und Pfeifen **im Ohr**. Nun höre ich wieder nach soviel Jahren, weil ich mir ein mit Schwedenbitter befeuchtetes Wattebäuschen ins Ohr gelegt habe.

———

Seit Wochen hatte ich einen **Druck im Kopf**, oft dachte ich, die Augen drücke es mir heraus. **Erbrechen** und **Schwindel** waren ständige Begleiter. Nun machte ich zweimal täglich Umschläge mit Schwedenbitter und bereits am zweiten Tag ließen Druck und Erbrechen nach.«

*Frau H. H. aus Sp./BRD schreibt am 5. Juli 1979:*

»Der Sohn einer bekannten Kaufmannsfamilie unserer Stadt hatte lange Zeit hindurch **Rücken-schmerzen**. Die Spritzen halfen nicht. Ich riet zum Schwedenbitter, innerlich täglich morgens und abends je einen Teelöffel davon, den Rücken jedoch damit massieren. Bei der nächsten Begegnung hörte ich, daß die Schmerzen fort seien und die Bemerkung: ‚Sie freuen sich doch auch darüber...!‘

―――――

Der Vater einer Bekannten hatte längere Zeit hindurch große **Magenbeschwerden**. Der Vater trank auf mein Anraten hin sechs Schluck Kalmuswurzeltee, wie Sie es in Ihrer Broschüre unter Artikel ‚Kalmus‘ beschrieben haben. Der Tee hatte sofort geholfen.«

*Frau M. M. aus H. schreibt am 9. Juli 1979:*

»Die Schwedenkräuter habe ich schon des öfteren angesetzt und auch verschenkt. Ich selbst nehme täglich davon und freue mich, daß ich meine **Schwindelgefühle** verloren habe. Meine Mutter hatte eine **eitrige Zehe**. Der Arzt wollte ihr den Nagel ziehen. Durch Auflegen von Schwedenkräuter-Umschlägen waren die Schmerzen rasch weg, in kurzer Zeit war die Zehe ausgeheilt.«

*Frau G. J. aus B./Schweiz schreibt am 15. Juli 1979:*

»Ein 52-jähriger Bauer eines landwirtschaftlichen Großbetriebes hatte starke **Hüftgelenksarthrose**, mußte tief gebeugt am Stock gehen und stand vor der Operation. Er fing im August 1978 mit den Kräutern an, die Sie in der Broschüre unter ‚Arthrose‘ schreiben und war vor Ostern 1979 von allen seinen Schmerzen befreit. Er hatte wieder seine aufrechte Haltung, ist nun voller Schaffenskraft und steht in Dankbarkeit und großer Freude den Heilkräutern gegenüber.«

*Frau A. K. aus Würzburg schreibt am 15. Juli 1979:*

»Ich bin 49 Jahre alt und habe seit seit 20 Jahren **Magenbeschwerden**. Seitdem ich aber die Ratschläge aus Ihrer Broschüre befolge und laufend Kräutertee trinke (sechs Schluck Kalmus-, Brennessel-, Ringel-blumen- und Schafgarbentee abwechselnd), geht es mir ausgezeichnet.«

*Frau M. Sch. aus K. schreibt am 15. Juli 1979:*

»Ich bat Sie vor einiger Zeit um Rat für einen jungen Mann mit **Lymphdrüsenkrebs und Metastasen** in der Lunge. Nach ca. fünf Wochen, seitdem er Ihre Ratschläge befolgt, stellte man fest, daß die Krankheit zum Stillstand gekommen ist. Wie glücklich die Familie über dieses Ereignis ist, können Sie sich denken. Er macht weiter Umschläge, trinkt Tee und hofft, daß er von der Krankheit befreit wird.«

*Herr F. F. aus Köln schreibt am 17. Juli 1979:*

»Seit Oktober 1978 litt ich an einer **Heiserkeit**. Sehr unangenehm, da ich meine Stimme brauchte zum Reden bei Versammlungen. Ich suchte mehrere Halsärzte auf, keinerlei Behandlung half mir. Der letzte Halsarzt sagte: ‚Absetzen sämtlicher Tabletten, denn es wird ja immer schlimmer.‘ In derselben Woche kam Ihr Buch in meine Hände und ich las von der Heilkraft der Käsepappel. Ich kaufte und setzte sie mir an, trank morgens eine Tasse, tagsüber schluckweise eine und abends eine Tasse, und siehe da, am nächsten Morgen war die Heiserkeit weg bis heute, sechs Monate nach der Behandlung. Besten Dank!«

*Frau L. T. aus M./OÖ. schreibt am 19. Juli 1979:*

»Ich hatte schon einige Male **Ischias**. Vor ca. drei Wochen hatte ich wieder einen derartigen Anfall. Ich legte mir einen Schwedenbitter-Umschlag auf und in zweieinhalb Stunden waren die Schmerzen fast weg. Als sie neuerlich weniger heftig auftraten, machte ich nochmals einen Umschlag und nach drei Stunden waren die Schmerzen gänzlich weg.«

*Frau Ch. R. aus H./BRD schreibt am 23. Juli 1979:*

»Ich litt 23 Jahre an **Bronchialkatarrh**. Nichts half. Jetzt habe ich einige Wochen hindurch Brennesseltee getrunken und das Leiden ist verschwunden.«


*Herr Ing. W. aus K./NÖ. schreibt am 23. Juli 1979:*

»Vor acht Jahren hatte ich eine Magenoperation. Anfang März 1979 wurde ich nach einer aufgetretenen **Gelbsucht** nochmals operiert. Es wurde Bauchspeicheldrüsenkrebs mit bösartigen Wucherungen festgestellt. Die bösartige Zyste auf der Bauchspeicheldrüse wurde entfernt und die Gallenleiter in den früher amputierten Zwölffingerdarm eingesetzt. Trotzdem kam die Operation nach Aussage des Arztes zu spät, die Leber sei angegriffen, eine Erleichterung könne nur durch die operative Freimachung der Gallenwege erfolgen. Zwei Wochen nach der Operation kam ich nach Hause. Mein Kreislauf war nicht mehr in Ordnung, in den Füßen hatte ich einen starken Blutstau. Ich war stark geschwächt und hatte trotz Leberschonkost täglich Bauchkrämpfe. Nun begann ich Kalmustee zu trinken, täglich sechs Schluck, jeweils einen vor und nach den Mahlzeiten, auch Ringelblumen- und Schafgarbentee, zwei Liter pro Tag, nahm ich schluckweise ein. Nach einigen Tagen wurde der Harn heller und die Gelbsucht ging langsam zurück. Trotz körperlicher Schwäche ging ich täglich morgens und abends mindestens 1 km spazieren. Erst nach zwei Wochen, nachdem mir meine Frau den wahren Operationsbefund gesagt hatte, nahm ich Schwedenkräuter-Umschläge über Nacht, morgens und abends eine Tasse Bärlapptee, jeweils eine Stunde vor der Mahlzeit, sechs bis zehn Löwenzahnstiele pro Tag und frisch gehackte junge Brennesseln, auf Topfen gestreut, zur Jause. Die Durchblutung wurde besser und nach Wochen fühlen sich Hände und Füße wieder warm an. Drei Monate hindurch ging ich jede Woche zur Blutuntersuchung. Eine ständige Verbesserung der Werte wurde festgestellt. Ab Mitte Mai 1979 blieben sie knapp über den Normalwerten. Die Blutsenkung normalisierte sich. Die Durchuntersuchung im Krankenhaus hat keine Verhärtungen mehr festgestellt, die Leber war normal und dürfte keinen Schaden behalten haben.«


*Herr Pfarrer A. R. aus G. schreibt am 3. August 1979:*

»Eine 70-jährige Frau hatte **Kehlkopfkrebs** und dagegen Bestrahlungen bekommen. Ich verwies sie auf die Ausführungen in der Broschüre ‚Gesundheit aus der Apotheke Gottes'. Am dritten Tag der Anwendung von Käsepappel trat schon eine Besserung ein und nach einiger Zeit schrieb sie mir, alles sei gut.«


*St. D. aus St. P. in Kärnten schreibt am 9. August 1979:*

»Ein **Ekzem** im Ohr, welches mich jahrelang geplagt hatte, habe ich mit Schwedenbitter in kurzer Zeit ausgeheilt.«


*Herr A. S. aus P./OÖ. schreibt am 11. August 1979:*

»Gegen mein **Prostataleiden** wende ich jetzt das Weidenröschen an. Morgens und abends trinke ich eine Tasse von diesem Tee und kann nach kurzer Zeit bereits eine Besserung feststellen. Der Harndrang ist sehr zurückgegangen und ich kann auch schon stundenlang schlafen.
Jahrelang hatte ich an beiden Ohren schmerzhafte **Wunden**. Besuche bei verschiedenen Ärzten brachten keine Hilfe. Nun versuchte ich es mit den Schwedenkräuter-Umschlägen. In kurzer Zeit waren die Wunden an beiden Ohren verheilt. Der Schwedenbitter hat Wunder gewirkt!«


*Herr Karl F. aus O. schreibt am 12. August 1979:*

»Die Behandlung mit Zinnkraut-Dunstumschlägen hat in meinem Befinden eine wesentliche Besserung gebracht. Ich mache täglich dreimal Umschläge auf den Bauch, wo sich der bösartige **Tumor** befindet, und auf die gleiche Höhe am Rücken. Zwischendurch lege ich drei bis vier Stunden lang Schwedenkräuter-Umschläge auf. Ich bin nun wieder soweit, daß ich allein die 4 km mit dem Auto fahren kann, um zu meiner Hausärztin zu gelangen.«

*Herr A. W. aus A. schreibt am 12. August 1979:*

»Ich hatte seit 40 Jahren in der Kniebeuge eine lästige, beißende **Trockenflechte**, welche durch nächtliches Kratzen zum Bluten kam. Ich verwendete viele Salben und anderes, doch es war zwecklos. Durch die Anwendung von Schwedenbitter und Ringelblumensalbe verschwand nach einem Monat die lästige Flechte gänzlich. Die handtellergroße Stelle hat eine schöne rosa Haut bekommen.«

*Frau M. K. aus W. schreibt am 13. August 1979:*

»Ich hatte 1976 eine Brustoperation rechts, **Metastasen** im Körper und außerdem einen massiven **Leberschaden**. Bis Februar 1979 befolgte ich die Anwendung nach Dr. Kuhl ‚Schade dem Krebs‘, dann vertrug meine Leber diese Kost nicht mehr. Seither trinke ich täglich Bärlapptee für die Leber, drei Tassen Zinnkrauttee gegen die Geschwulst, zwei Liter Brennessel-, Schafgarben-, Ringelblumentee, und vor und nach jeder Mahlzeit einen Schluck Kalmuswurzeltee. Damit konnte ich alles zurückdrängen. Mein **geschwollener** rechter **Arm** wurde durch Spitzwegerich-Umschläge fast normal. Mein dick **geschwollenes Ohr** wurde durch Schwedenbitter-Auflagen wieder gut. **Geschwülste** an den **Fingern** wurden durch Zinnkrautbäder und -umschläge normal.«

*Frau Christine A. aus M. schreibt am 15. August 1979:*

»Ich wurde innerhalb von zwei Jahren zweimal wegen **Unterleibskrebs** operiert. Man gab mir nur noch ein Jahr Lebenszeit. Seit ich die in der Broschüre angeführten Tees unter ‚Unterleibserkrankungen‘ trinke, geht es mir bestens. Ich gehe alle drei Monate zur ärztlichen Kontrolle.

———

Mein 91-jähriger Onkel wurde im Winter 1978 innerhalb von elf Wochen fünfmal operiert. Man gab ihm nur noch 14 Tage Lebensfrist. Die sechste Operation wegen **Prostata** haben wir infolge der großen Schwäche des Patienten abgesagt. Er konnte weder Wasser noch Stuhl halten. Ich brachte mit Zinnkraut-, Labkraut- und Johanniskraut-Sitzbädern in zwei Wochen alles in Ordnung. Durch diese Teetrinkkuren kann er zur Zeit viermal mehr Wasser lassen als in der Klinik. Hausarzt und Klinik staunen über den Erfolg.«

*Frau Anna R. schreibt am 21. August 1979:*

»Ich leide seit Jahren an **Heiserkeit** sowie an chronischer **Gastritis**. Seit ich mit Käsepappeltee gurgle und diesen trinke, wie Sie in Ihrer Broschüre angeben, fühle ich mich von Tag zu Tag besser. Vielmals danke ich Ihnen dafür, daß Sie das Buch geschrieben haben.«

*Herr H. E. aus R./DDR schreibt am 27. August 1979:*

»Heute kann ich Ihnen eine freudige Nachricht mitteilen: Ich leide, besonders seit meinem 1973 erlittenen Gehirninfarkt unter **anfallartigen Kreislaufstörungen**. In der letzten Zeit traten sie durchschnittlich wöchentlich auf. Ihrem Anraten zufolge und Ihres geradezu kostbaren Buches ‚Gesundheit aus der Apotheke Gottes‘ trinke ich regelmäßig Misteltee in kaltem Ansatz. Wie unendlich dankbar bin ich unserem Herrgott und Ihnen, liebe Frau Treben, daß jetzt nur mehr alle 25 Tage ein solcher Anfall auftritt. Nur wer ein gleiches Leiden tragen muß, kann meine tiefe Dankbarkeit verstehen!

———

Die Frau meines Bruders in Magdeburg, hat seit langer Zeit ein **erblindetes Auge**. Ärztlicherseits konnte ihr leider nicht mehr geholfen werden. Nach Ihrer Broschüre hat sie sich täglich einen Schwedenkräuter-Umschlag auf die geschlossenen Augen gelegt. Nach kurzer Zeit konnte sie zu ihrer unsagbaren Freude plötzlich das Licht ihrer Stehlampe erkennen; in der Küche konnte sie mit dem ‚erblindeten‘ Auge ebenfalls hell und dunkel unterscheiden. Sie ist deshalb so überglücklich, weil sie erkennt, daß die Sehkraft des Auges noch vorhanden ist. Voll großer Zuversicht macht sie täglich die Umschläge weiter, dankt ihrem Herrgott und Ihnen für Ihre guten Ratschläge.«

*Frau Hedi Sch. aus W. schreibt am 27. August 1979:*

»Meine Schwägerin hat durch Ihren Hinweis in der Broschüre ‚Gesundheit aus der Apotheke Gottes' mit Schöllkraut einen **Hautkrebs** zum Stillstand gebracht und ist überglücklich. Sie wohnt in einem kleinen Dorf in Deutschland. Es gibt dort kaum einen Haushalt, der nicht Ihre Broschüre besitzt. Auch eine Apotheke führt alle Ihre angegebenen Teesorten.«

*Frau Johanna O. aus W. schreibt am 3. September 1979:*

»Im November 1978 bekam ich am rechten Augenwinkel eine rote **Warze**. Am 1. Juni 1979 riet der Augenarzt zu einer sofortigen Entfernung. Die Operation sollte am 12. Juni stattfinden. Ich suchte auf Grund Ihrer Broschüre nach Schöllkraut und betupfte das rote Gewächs mit dem orangegelben Saft fünf- bis sechsmal am Tag. Es wurde immer kleiner und anderthalb Monate später war es ganz weg. Eine neue Haut bildete sich nun über der Stelle.«

*Herr O. P. aus B. schreibt am 6. September 1979:*

»Ich weiß gar nicht, wie ich anfangen soll. Seit ich Ihr Tonband gehört habe, bin ich ein anderer Mensch geworden. Auf Anraten meines Arztes sollte ich in Frührente gehen. Vor allem ist es das **Herz**, was mir zu schaffen macht. Ich bekam keine Luft mehr, konnte mich vor Schwindelgefühl nicht mehr bücken, alles drehte sich um mich, die kleinste körperliche Anstrengung konnte ich nicht mehr verkraften. Es wurden mir tierische Fette, Schweinefleisch und Wein untersagt, ich kam mir überflüssig und nutzlos vor. Ich hatte zwar keinen Infarkt, mein Herz setzte aber regelmäßig aus. Ab und zu wurden diese Lücken größer. **Hypotone Kreislaufregulationsstörungen, Schlagaderverhärtung, Emphysembronchitis, arterielle Durchblutungsstörungen** beider Füße, **chronische Ischias**. Ich bin freischaffender Künstler, hänge sehr an meinem Beruf und mußte ihn von heute auf morgen aufgeben. Das hat mich am Boden zerstört. Nun mache ich drei Wochen lang die Kur mit frischen Brennesseln und etwas Schafgarbe. Ich kann wieder ohne Beschwerden kleinere Sachen heben, es fällt mir nichts mehr aus der Hand, das Kältegefühl aus den Beinen ist fast weg. Ich habe kein Wasser mehr in den Beinen, die eingeschlafenen Füße sind weg, mir wird beim Gehen nicht mehr schwindlig und Luft bekomme ich auch wieder genug.«

*Frau I. Sch. aus I. schreibt am 8. September 1979:*

»Der kleine Junge mit seiner **Getreide-Unverträglichkeit**, über die ich mich im Juni nach einem Vortrag in Vachendorf mit Ihnen unterhielt, ist seit ca. vier bis fünf Wochen beschwerdefrei. Die Mutter gibt ihm zwar Diät, aber er verträgt bereits alles Obst. Jetzt will sie nochmal mit Kalmus – drei Schluck am Tag – beginnen und langsam mit normaler Kost anfangen. – Die junge gelähmte Frau kann bereits ihren Arm heben und hat nun richtig Mut geschöpft.«

*Schwester A. P. aus St. I. schreibt am 8. September 1979:*

»Es ist mir ein Bedürfnis, Ihnen zu schreiben und zu danken, daß Sie Ihr Wissen bezüglich Heilkräuter der Öffentlichkeit zur Verfügung gestellt haben. Seit ich den Tee aus Brennesseln, Schafgarbe und Ringelblumen trinke, fühle ich mich viel wohler. Den Schwedenkräutern möchte ich besondere Anerkennung zollen. Seit ich Schwedenbitter einnehme, kann ich ohne Angst auf Reisen gehen. Wenn ich früher nur einige Kilometer gefahren bin, war ich in **Schweiß gebadet** und mußte erbrechen. Heute trinke ich, bevor ich ins Auto steige, einige Tropfen oder ein kleineres Stamperl von dem Schwedenbitter, fühle mich wohl und brauche keine Tabletten mehr schlucken.«

*Frau Edith W. aus H./BRD schreibt am 12. September 1979:*

»Ich möchte mich vor allem für die Ratschläge hinsichtlich der Schwedenkräuter in Ihrer Broschüre bedanken. Diese Tropfen nehme ich seit einigen Wochen hindurch, morgens und abends je einen Eßlöffel voll, mit Wasser oder Tee vermischt. Beim letzten Arztbesuch war ich erstaunt, daß sich mein Blutbild wesentlich gebessert hatte. Ich litt seit meiner Kindheit an einer ständigen **Blutarmut**, deshalb war ich über den Ausspruch des Arztes freudig überrascht.«

*Frau M. T. W. schreibt am 12. September 1979:*

»Das in Ihrem Buch beschriebene Labkraut hat mir ganz wunderbar geholfen. Vor ca. 10 Jahren bekam ich im Gesicht eine kleine rote Kruste. Seit einem Jahr wurde die **Kruste** größer, und ich konnte, ohne das Gesicht mit einem Tuch zu bedecken, nicht mehr aus dem Haus gehen. Es wurde mir ärztlicherseits zu einer Operation geraten. Nun las ich von der Heilkraft des Labkrautes in Ihrer Broschüre. Tagsüber habe ich Waschungen mit dem Tee vorgenommen, über Nacht legte ich die selbst hergestellte Labkrautsalbe auf (sie wird genau wie die Ringelblumensalbe hergestellt). Nach einigen Wochen Behandlung ist mein Gesicht geheilt. Meine Nachbarin sagt: ,Das ist ja direkt ein Wunder!'«

*Frau Kath. I. aus G. schreibt am 12. September 1979:*

»Zu Ostern erkrankte plötzlich mein Mann an **Prostata**, sodaß er überhaupt nicht mehr Wasser lassen konnte. Zwei Tage gab ich ihm Zinnkrauttee zu trinken und machte Zinnkraut-Dunstumschläge, dann begannen wir mit Weidenröschentee. Es ist alles wieder so gut geworden, daß er sich bei weitem besser fühlt als vor dem Anfall. Vergeltsgott für die guten Ratschläge.

———

Als Sie bei uns im Mai einen Vortrag hielten, hat sich ein Mann mit **Schuppenflechte (Psoriasis)** gemeldet. Er hat Ihre Ratschläge genau nach der Broschüre befolgt und ist nun vollkommen gesund. Seine Haut greift sich wie Samt an. Er ist bereit, sich für Sie jederzeit zur Verfügung zu stellen.«

*Frau G. J. aus B./Schweiz schreibt am 21. September 1979:*

»Ich war für ein paar Tage in einem Kloster im Tessin. Die Schwestern erzählten mir von einem kürzlich erlebten Fall. Es wurde eine beidseitige **Nierenschrumpfung** ärztlich mit Durchspülen etc. behandelt. Man machte die Schwester auf das Rezept in Ihrer Broschüre (auf Labkraut, Gelbe Taubnessel, Goldrute zu gleichen Teilen, drei Tassen täglich getrunken) aufmerksam; in sechs Wochen wurde die Heilung, mit höchster Verwunderung, ärztlich bestätigt.«

*Frau Gertrud W. aus München schreibt am 21. September 1979:*

»Mein Mann, 42 Jahre alt, litt jahrelang an einer schweren **Migräne**. Mit Trinken von Brennesseltee hat er sie vollkommen verloren.

Meine Schwester hatte durch **eitrige Zähne** eine jahrelange **Infektion**, die sich hauptsächlich in der Brustgegend auslöste. Durch Brennessel-Waschungen, wobei Eiter durch die Haut an die Oberfläche kam, war sie in vier Monaten völlig ausgeheilt. Sie wird bei uns nur noch als Brennessel-Wunder bezeichnet. Wir beide möchten Ihnen hiermit ein ewiges Vergeltsgott sagen!«

*Frau Maria E. aus M./OÖ. schreibt am 25. September 1979:*

»Von Ihrem Buch sind wir ganz begeistert. Wir erfuhren von einem zehnjährigen Jungen, der an einem **ekzemartigen Ausschlag** litt. Wir fotokopierten den Artikel ,Brennessel' und sandten ihn seiner Mutter zu. Vor einigen Tagen bedankte sie sich bei mir freudig für den Brief, der Junge sei gesund geworden. Er hat jetzt eine schöne, reine Haut. Sie meinte noch, die ganze Familie trinke jetzt Brennesseltee.

———

Ein Arbeiter hatte lange Zeit hindurch am ganzen Körper **Ekzeme**. Besonders in den Beugen waren offene Wundstellen. Kein Arzt, auch Hautarzt, konnte ihm helfen. Nun riet man ihm zu Brennesseltee nach Ihrer Broschüre. Er trank täglich soviel als möglich davon, nahm sich zur Arbeit die Thermosflasche mit. Nach drei Wochen war bis auf eine kleine Stelle unter dem Arm alles weg.«

*Frau Magda T. aus W./Neckar schreibt am 29. September 1979:*

»Im März 1979 schrieb ich an Sie, daß mein Schwager wegen **Prostata** operiert werden soll. Auf Ihren Rat hin trinkt er Tee vom Kleinblütigen Weidenröschen. Seit dieser Zeit fühlt er sich wohl und braucht, Gott sei Dank, keine Operation.

———

Ich habe mit Kalmuswurzel eine besonders gute Entdeckung gemacht! Da ich **Blutzucker** habe, trinke ich Kalmustee nach Ihrer Vorschrift. Eines Tages schmerzte mir die Zungenspitze und war stark gerötet. Ich dachte: ‚Ich probier es mit dem Kalmustee!' Gesagt – getan. Ich behielt einen guten Schluck davon eine Viertelstunde im Mund. Nach dieser Viertelstunde spuckte ich den Tee aus – und – alles wurde gut – keine Schmerzen mehr und keine **gerötete Zungenspitze**! Wenn ich mich irgendwo anschlage oder mir sonst etwas wehtut, wende ich sofort Kalmustee an, befeuchte die schmerzende Stelle ein paarmal und alles wird wieder gut. Ich danke meinem Herrgott, daß ich das selbst herausfinden durfte.«

*Herr Dr. Wolfgang de W. aus G./OÖ. schreibt am 1. Oktober 1979:*

»Seit mehr als 30 Jahren leide ich an einem **Fußgeschwür** über dem Knöchel, häufig mit **Ekzemen** verbunden. Salben, Beinwell und Ringelblumen brachten vorübergehend Heilung. Bei diesen Ekzemen wirkte ein Vollbad aus Zinnkraut überraschend gut. Nach dem Bad war die Rötung verschwunden. Dies hält solange an, bis eine andere Ursache das Ekzem wieder erscheinen läßt. Aber ein erneutes Zinnkrautbad hilft wieder.«

*Frau E. B.-B. aus Pf./Schweiz schreibt am 3. Oktober 1979:*

»Meine Mutter, 89 Jahre alt, hatte vor drei Jahren **Magengeschwüre** und zuviel **Magensäure**, sie durfte vieles nicht essen. Dank Ihres guten Rates trinkt sie morgens eine halbe Stunde vor dem Frühstück eine viertel Tasse Käsepappeltee schluckweise (über Nacht kalt angesetzt). Nun kann sie alles, außer Essig im Salat und dunkles Brot, wieder essen. Eine solche Heilung in dem hohen Alter ist wunderbar. Interessant ist auch folgendes: Meine Mutter litt von Kindheit auf an einer **chronischen Verstopfung**. Seit sie den Tee trinkt, kann sie regelmäßig nach dem Mittagessen stuhlen, wenn sie sich auf den Rücken legt, damit der Magen nicht belastet wird. Wenn sie jedoch zuerst das Geschirr wäscht und sich nachher erst legt, geht es nicht. Daraus ist ersichtlich, daß der Magen bei alten Menschen stets seine Ruhe braucht.«

*Schwester H. D. aus B. schreibt am 5. Oktober 1979:*

»Die Käsepappel hat mir bei einer chronischen **Magen- und Darmschleimhautentzündung** große Dienste erwiesen. Sie entwickelt, auch getrocknet, Schleimstoffe.«

*Frau Getrud J. aus B./Schweiz schreibt am 15. Oktober 1979:*

»Am 14. Oktober 1979 besuchte ich eine Bekannte und zu meiner großen Überraschung und Freude habe ich sie bei bestem Wohlbefinden angetroffen. Im September 1978 hatte sie eine Darmresektion wegen eines klinisch festgestellten Carzinoms. Drei Wochen nach Ostern (1979) erklärte der Arzt, es wäre unheilbarer **Mastdarmkrebs**. Sie hat die Kräuter (300 g Ringelblumen, 100 g Brennessel und 100 g Schafgarbe) gut vermischt, zwei Liter pro Tag, alle 15 Minuten einen Schluck, nebenbei sechs Schluck Kalmuswurzeltee, jeweils vor und nach jeder Mahlzeit einen Schluck und Schwedenkräuter-Umschläge auf Leber und Operationsstelle gewissenhaft angewendet. Es waren bei jeder Nachuntersuchung gute Resultate. Nun ist sie gesund! Gott sei ewig Lob und Dank! Dank für alle Gnade, die ER durch Ihre Erkenntnisse mit den lieben Kräutern der kranken Menschheit schenkt!«

*Frau D. H. G. aus G. schreibt am 21. Oktober 1979:*

»Mit Hilfe Ihres Buches ‚Gesundheit aus der Apotheke Gottes' habe ich eine **krebsartige Hautaffektion** meines Mannes heilen können. Wir verwendeten Ringelblumen-Essenz, -Salbe und -Tee. Ich bin sehr glücklich darüber.«

*Frau Inge Sch. aus B./BRD schreibt am 4. November 1979:*

»Eine Freundin fing wegen leichter **Unterleibsbeschwerden** an, Ihre Teemischung aus Ringelblumen, Schafgarbe, Brennessel zu trinken. Am dritten Tag bemerkte sie neben der Brustwarze eine pfenniggroße schmerzende **Verhärtung**, die vielleicht unter der Oberfläche schon lange geschwelt hatte. Sie behandelte die Stelle mit Ringelblumensalbe und trank den Tee weiter. In den nächsten Tagen fing die Verhärtung zu jucken an, schmerzte nicht mehr, wurde weicher und verschwand. Meine Freundin ist Ihnen sehr dankbar für Ihre Anregung.

Meine Schwägerin fühlt sich, seit sie Brennesseltee trinkt, viel wohler und aktiver. — Einer Bekannten, die unter **Migräne** litt, ließen auf Brennesseltee hin die Schmerzen stark nach. — Eine andere Bekannte empfand große Linderung ihrer **Krampfadernschmerzen** durch Ringelblumen- und Beinwellsalbe.

Eine Freundin konnte wegen Heiserkeit überhaupt nicht mehr sprechen, nur flüstern. Diese **Heiserkeit** wiederholte sich in jedem Winter und sie verlor es nach dreiwöchigem, täglichen Inhalieren beim Arzt. Auf mein Anraten hin legte sie sich diesmal einen Umschlag mit Johanniskrautöl über Nacht um den Hals. Am nächsten Tag war ihre Heiserkeit verschwunden.«

*Frau Anna H. aus P./OÖ. schreibt am 15. November 1979:*

»Unser neunjähriger Sohn, der blaß, mager, appetitlos war und **Magenkrämpfe** hatte, im eigentlichen Sinne laut Arzt aber doch nicht organisch krank, hat durch zwei Tassen Schafgarbentee, täglich zusätzlich mit einem Teelöffel Schwedenbitter normalen Appetit bekommen. Mehrere Flaschen Sanostol und ähnliche Mittel haben dies in zwei Jahren nicht bewirkt.«

*Frau Th. Sch. aus St. J., 30 Jahre alt, berichtet am 15. November 1979:*

»Durch ein Muttermal, das operiert wurde, hatte sie in der Folge unter der Achsel bis hinauf auf den Rücken noch vier schwere Operationen, die auch die **Lymphdrüsen** in Mitleidenschaft gezogen haben. Die tiefen **Operationsstellen** waren **offen und entzündet**. Sie war unfähig, Haushalt und Kinder zu versorgen und tief verzweifelt. Eine Caritas-Schwester wurde eingesetzt. Am 15. Oktober 1979 begann sie mit Auflagen von Spitz- und Breitwegerich-Blätterbrei (frische Blätter waschen, auf einem Brett mit dem Nudelwalker zerreiben), Waschungen mit lauwarmem Käsepappel- und Zinnkraut-Absud, wobei der erste über Nacht in kaltem Ansatz zugestellt wird, Thymian-Vollbäder aus 100 g Thymian pro Bad und Tee aus 300 g Ringelblumen, je 100 g Schafgarbe und Brennessel, einen Liter täglich auf den ganzen Tag verteilt getrunken: Diese Behandlung brachte rasche Hilfe. Am 15. November waren die Wunden abgeheilt und sie konnte wieder allein ihren Haushalt versehen.«

*Das Pfarramt Vachendorf erhält im November 1979 folgenden Brief:*

»Um auch andere Menschen darauf hinzuweisen, möchten wir über unsere Erfahrungen mit Schwedenkräutern berichten: Vor zwei Jahren stellten sich bei einem Jungen **Drüsenstörungen** ein. Er hatte zuviel weibliche Hormone. Die Mutter wurde während ihrer Schwangerschaft bei diesem Kind zweimal mit Hormonen behandelt. — Die vom Arzt verschriebenen männlichen Hormone brachten die Sache halbwegs zum Stillstand. Aber trotz regelmäßiger Einnahme waren große Schwankungen festzustellen. Der Versuch mit den Schwedenbittertropfen schlug ein: sehr schnell war ein Erfolg da. Anfangs nahm der Junge täglich dreimal einen Teelöffel voll, verdünnt in Wasser, vor den Mahlzeiten, bei Verschlechterung kurzzeitig dreimal täglich zwei Teelöffel. Heute nimmt er zweimal täglich einen Teelöffel voll und hat seit einem Jahr keine weiblichen Hormone mehr; nach Ansicht der Eltern ist die Sache zum Stillstand gekommen. Es wurden im Wechsel Crancampo- und Jakobs-Kräuter eingesetzt.«

*Frau Hildegard P. aus H. schreibt am 17. November 1979:*

»Ihr Buch beeindruckt mich sehr und immer wieder lese ich darin. Der Arzt hatte bei unserer achtjährigen Agnes eine **Lymphdrüsenschwellung** im Bauch festgestellt (wir waren spät abends wegen Blinddarmverdacht noch zu ihm gekommen). Bei jeder Gelegenheit, wo Kälte innerlich oder äußerlich auf sie einwirkt, hatte sie Bauchschmerzen, zuletzt jeden Tag, besonders morgens. Ich las bei Ihnen ‚Johanniskrautöl bei Drüsenschwellungen' und rieb ihr Bäuchlein drei Tage lang jedesmal ein, wenn sie jammerte – die Lymphdrüsenschwellung ist ganz vergangen. Die Johanniskrautblüten wurden im Sommer, da ich kein Olivenöl daheim hatte, in einem Keimöl angesetzt.

———

Einer lieben Nachbarin, die letztes Jahr wegen einer **Kieferhöhleneiterung** operiert worden war, sagte ich, nachdem sie immer noch nach Monaten Schmerzen hatte, sie solle einen Versuch mit Schwedenkräuter-Umschlägen machen (in Ihrer Broschüre ‚Gesundheit aus der Apotheke Gottes‘ las ich über Stirnhöhleneiterung). Die Sache hat sich durch die Umschläge schon wesentlich gebessert. Vorher hatten Bestrahlungen keinen besonderen Erfolg!«

*Frau Lucia F. aus B./Allgäu schreibt am 18. November 1979:*

»Vor einem Jahr hatte ich zwei Unterleibsoperationen, bei der ersten wurde eine bösartige **Eierstockzyste** festgestellt, die zweite Operation wurde zur Vorsorge gemacht. Doch schon bevor es zu der Notoperation kam, habe ich – ahnungslos, was in mir steckte – den unter ‚bösartigen Krankheiten‘ angegebenen Dreierlei-Kräutertee (Ringelblumen, Schafgarbe, Brennessel) zu trinken angefangen. Dadurch hatte sich die Geschwulst abgekapselt und war die beste Voraussetzung für eine Operation. Ich befinde mich nun, trotz der beiden Operationen und achtmaliger Zystostatika-Behandlung – die ich seit der zweiten Operation ablehnte – in guter Verfassung. Ich trinke täglich 1½ Liter von diesem Tee und nehme drei Teelöffel Schwedenbitter. Ich glaube sicher, daß die Bösartigkeit der Krankheit in Schach gehalten werden konnte und daß mir das auch weiterhin gelingen wird. Sie haben mit Ihrer Broschüre soviel Hoffnung und wirkliche Hilfe gebracht! Gott möge es Ihnen vergelten! – Auch bei anderen Beschwerden habe ich Hilfe erfahren mit Käsepappel (Wegmalve), Frauenmantel und Hirtentäschel-Essenz. Es ist einfach ganz wunderbar! Ich hatte im Krankenhaus sehr quälende Schmerzen infolge von **Blähungen**, die von einem durch Klistiere und Abführmittel überreizten Darm herrührten. Nichts half. Ich schlief keine Nacht. Eine kleine Flasche Käsepappeltee, die mir eine gütige, hilfreiche Frau brachte, half sofort. – Nochmals tausend Dank für alle Hilfe! Lassen Sie sich durch uneinsichtige Menschen nicht entmutigen! In den Kräutern, besonders den frischen, steckt wirklich wunderbare Kraft.

Ein 19-jähriges Mädchen aus unserer Nähe – ich kenne deren Mutter persönlich – hat sich mit Hilfe Ihrer Anwendungen von einem furchtbaren **Lymphdrüsenkrebs** befreit. Sie hätte laut Ärzten höchstens noch zwei Jahre zu leben gehabt. Sie fühlt sich gesund, fährt Ski und spielt in einer Handballmannschaft! Gott möge Ihnen alles vielfach vergelten, was Sie an Hilfe der Menschheit gebracht haben.«

*Herr M. G. aus B./Schweiz schreibt am 23. November 1979:*

»Durch eine glückliche Begegnung in der Schweiz mit einer Flüchtlingsfamilie aus dem Libanon bin ich in den Besitz Ihrer äußerst belehrenden Broschüre ‚Gesundheit aus der Apotheke Gottes‘ gekommen. Ich bin vor acht Jahren wegen eines **Prostata-Leidens** operiert worden; 1975 und 1976 waren nochmals zwei weitere chirurgische Eingriffe nötig. Seitdem ich regelmäßig Tee vom Kleinblütigen Weidenröschen mit Schwedenbitter einnehme, bin ich über deren guten Einfluß auf meinen Zustand zusätzlich auch im Zusammenhang mit der Linderung der Schmerzen im Bereich des Zwerchfelles sehr zufrieden. An dieser Stelle möchte ich Ihnen hiefür meinen aufrichtigen Dank aussprechen. Wie groß ist doch Ihr Beitrag durch die Herausgabe dieser Broschüre zur Linderung der Leiden der Menschheit!«

*Herr Karl von W. Z. aus H.-W. schreibt am 25. November 1979:*

»Ihre segenreiche Arbeit hat der Menschheit schon viel geholfen. Unser Herrgott wird es Ihnen lohnen! Als ich heuer im September mit meiner Gattin Urlaub machte, erwischte mich eine arge **Verkühlung** verbunden mit **Blasenkatarrh und -bluten**. Wir wollten schon heimfahren, da erinnerte ich mich an Ihre Ratschläge in der Broschüre, besorgte Zinnkraut für Sitzbäder und Hirtentäschel als Tee zur Blutstillung. Nach 24 Stunden war ich wieder restlos hergestellt.«

*Herr Adolf B. aus H. schreibt am 26. November 1979:*

»Im August dieses Jahres war ich wegen einer **Prostata-Entzündung** in einem Bad zur Kur. Diese Entzündung hatte ich schon ca. zehn Jahre. Behandlungen beim Urologen brachten nur eine vorübergehende Besserung. Morgens nach der Bettruhe hatte ich stets Eiter in der Harnröhre. Ich erfuhr von Ihrer ‚Apotheke Gottes‘ und sammelte Kleinblütiges Weidenröschen und trinke seither diesen Tee. Nun kann ich schon seit Wochen morgens kein Eiter in der Harnröhre mehr feststellen.«

*Frau Hilde St. aus P./Bayern schreibt am 28. November 1979:*

»Mich drängt es, zu berichten, warum soviele meiner Bekannten die Broschüre ,Gesundheit aus der Apotheke Gottes' besitzen möchten. Ich selbst bin 51 Jahre alt. 28 Jahre litt ich an einer **Wangenfistel.** Ich kann nicht beschreiben, was ich in diesen 28 Jahren an Beschwerden mitmachte! Man riet mir zu einer Operation, die ich jedoch nicht durchführen ließ, da sie von Seiten des Professors als bedenklich hingestellt wurde. Erst bei einem Heilpraktiker fand ich Linderung und sehr viel Verständnis. Er versorgte mich mit Büchern über Rohkostzubereitung, Heilatmen und Psychokybernetik. Es war nach intensiver Arbeit meinerseits auch wirklich erträglicher, jedoch nicht geheilt.

Am 7. März dieses Jahres holte ich die ersten Brennessel frisch aus der Natur und begann täglich drei Tassen Brennesseltee, jedesmal mit einem Teelöffel Schwedenbitter, zu trinken. Nach genau 14 Tagen war meine Wangenfistel zugeheilt und ich war vollkommen ohne Schmerzen. So ist es bis heute geblieben. Es war für mich und alle, die mich kannten, wie ein Wunder! Ich danke Gott für soviel Güte! Auch dafür, daß es Menschen wie Sie gibt mit so unerschütterlichem Glauben, mit soviel Hilfsbereitschaft und Liebe zu den leidenden Menschen.«

*Frau Renate St. aus H./Vorarlberg schreibt am 29. November 1979:*

»Seit zwei Jahren hatte ich **Magenschmerzen** und konnte keinen Tag ohne Tabletten auskommen. Ich nahm sechs Schluck Kalmuswurzeltee, so wie es in ,Gesundheit aus der Apotheke Gottes' steht. Innerhalb von drei Tagen waren meine Schmerzen weg und sind auch nicht mehr gekommen.

Einer Frau, die zwei Augenoperationen hinter sich hatte (sie hatte **Warzen in den Augen**, die immer wieder nachkamen), gab ich den Rat, Schwedenkräuter-Umschläge über Nacht auf die geschlossenen Augen zu legen. Sie stand wiederum kurz vor der Operation. Als sie zur Operation kam, hat eine ärztliche Untersuchung festgestellt, daß keine einzige Warze mehr im Auge war. Tausend Dank!«

*Frau Maria H. aus G. schreibt Anfang Dezember 1979:*

»Gestern hatte mein achtjähriges Enkerl, das nach einer Pockenimpfung an Anfällen leidet, am Kamin furchtbare **Verbrennungen** erlitten (zwei handgroße Wunden). Wir gaben sofort Schwedenbittertropfen und Ringelblumensalbe auf die **Brandwunden**; über Nacht sind sie fast abgetrocknet, ohne Wundränder.«

*Frau S. B. aus Ludwigshafen schreibt am 7. Dezember 1979:*

»Für Ihren Ratschlag statt mit Gelber mit Weißer Taubnessel den Pfarrer Künzles Nierentee zu trinken und Zinnkraut-Sitzbäder zu machen, danke ich sehr. Mein Gesundheitszustand hat sich mit täglich drei Tassen Goldruten-, Labkrauttee und dem Tee der Weißen Taubnessel gegen die **Nierenfunktionsstörungen** so zum Guten gewendet, daß ich Ihnen für Ihre Hilfe danken muß. Mit dem Misteltee ist mein **Blutdruck** auf 150 zu 90 hinaufgegangen, sonst hatte ich laufend 100, höchstens 110.

Gegen meine **Nervosität** habe ich aus Gottes Apotheke Thymiantee im Wechsel mit Brennessel-, Schafgarben- und Zinnkrauttee (neben fünf- bis siebentägigem Fasten, das aus Obstsaft, Gemüsebrühe und Blütenpollen besteht) eingesetzt. So wurde ich langsam entgiftet und entschlackt. Dies alles geschieht unter Kontrolle meines Nervenarztes, der die naturheilende Behandlung billigt.«

*Eine Ordensschwester aus dem Waldviertel/NÖ. schreibt am 21. Dezember 1979:*

»Sie haben durch Ihre Vorträge und Ihr Buch ,Gesundheit aus der Apotheke Gottes' die Menschheit wieder zur Natur hingeführt. Als ich mit den immer stärker werdenden Medikamenten nicht mehr zurechtkam, retteten mich die Schwedentropfen; die chronische **Kehlkopfentzündung** sowie die starken Beschwerden durch das Klimakterium haben sich sehr gebessert. Auch meine stark abgenützten Nerven sind belastbarer geworden. Tausendmal Vergeltsgott! — Meine Tischnachbarin trinkt täglich Ihren Tee aus zehn Kräutern, anders könnte sie nichts mehr leisten. — Unseren Hausmeister haben Sie durch den Ersatztee für das Kleinblütige Weidenröschen — Brennessel und Bärlapp — zu Wohlbefinden und ständiger Leistungsfähigkeit verholfen.«

*Frau Edelgard H. aus A. schreibt am 21. Dezember 1979:*

»Mitte August baten wir Sie wegen eines **Knotens oberhalb der Brust** um Rat. Ich habe nach Ihren Anwendungen die Behandlung ,bösartige Brusterkrankung' aus der Broschüre befolgt und nebenbei noch Zinnkraut-Dunstumschläge über Nacht aufgelegt. In sechs Wochen war der Knoten restlos weg, wofür ich Ihnen vielen Dank sage.«

*Eine Ordensschwester aus St./Bayern schreibt am 22. Dezember 1979:*

»Mit großer Dankbarkeit gedenke ich Ihrer selbstlosen Arbeit. Viel konnte ich den Ärmsten durch Ihre Ratschläge helfen. Ich selbst habe nach 15 Jahre **Fußpilz-Erkrankung** mit häufiger **Venenentzündung** durch Ringelblumensalbe seit einem Jahr abgeheilte Füße.

Zwei Menschen, die Jahrzehnte mit **Psoriasis (Schuppenflechte)** gequält waren, sind nach einem halben Jahr durch den in Ihrer Broschüre unter ,Unheilbarer Schuppenflechte' angeführten Tee fast geheilt.«

*Eine Ordensschwester aus Wien schreibt knapp vor Weihnachten 1979:*

»Heute fühle ich mich verpflichtet, Ihnen von ganzem Herzen für all das zu danken, was Sie durch Gottes Hilfe und den Schutz unserer Gottesmutter zu meiner Gesundheit beigetragen haben. Seit dem Jahre 1964 muße ich Jahr für Jahr eine Kur machen, sonst hätte ich ein ganzes Schuljahr nicht durchhalten können. Die **Kreuzschmerzen** waren so unerträglich, daß ich oft dem Weinen nahe war. Seit ich nun mit Kräutern arbeite, vor allem Zinnkraut, Brennessel und Schwedenbitter, bin ich glücklich und zufrieden, die Arbeit geht nochmals so leicht von der Hand. Wenn Sie in unsere Klosterküche sehen könnten, wieviele Thermosflaschen mit verschiedenen Tees hier stehen! Die Schwestern kommen und gehen, sie schätzen diese Gabe Gottes! Viele Schwestern nehmen Zinnkraut-Sitzbäder, die sehr gut tun. Den ganzen Sommer über habe ich Zinnkraut gesammelt zum Nutzen und Frommen unserer lieben Schwestern. Tausendfaches Vergeltsgott für Ihre Ratschläge!«

*Frau G. N. aus I./BRD schreibt am 27. Dezember 1979:*

»Ich muß Ihnen bestätigen, wie wirkungsvoll und wertvoll die Heilkräuter aus der Natur sind. Ich hatte sieben Jahre lang ohne Unterbrechung, bedingt durch Vererbung, **Krampfadern, Venenentzündungen, Thrombosen** und unsagbare Schmerzen. Durch Umstellung auf Rohkost und allen möglichen und unmöglichen Selbsthilfen wurde es etwas besser. Nach einer 35-tägigen Rohkostkur zeigte sich genau vor einem Jahr unter wahnsinnigen Schmerzen eine **Leitvenenthrombose.** Demnach sollte ich ein halbes Jahr stationär hier im Krankenhaus bleiben und anschließend im Oktober operiert werden. Da mir sonst nichts fehlte, war ein Krankenhaus-Aufenthalt von sechs Monaten unausdenkbar. Ich war vollkommen verzweifelt (eine Kopie des Chirurgen-Briefes lege ich bei). Da riet mir eine Bekannte zum Schwedenbitter. Es war zwar mehr als eine Roßkur, denn ich nahm dreimal täglich 50 Tropfen, aber nach acht Tagen kam die Wendung. Die Schmerzen ließen nach, ich konnte das Bein wieder bewegen und nach vier Tagen war ich schmerzfrei.«

*Herr Rudolf H. aus Schönberg/DDR schreibt am 8. Jänner 1980:*

»Seit September trinke ich täglich sechs Tassen Brennesseltee mit Zinnkraut gemischt und Misteltee. Ich litt jahrelang an **Schwindel** und **Kreislaufstörungen** sowie **Kopfschmerzen** als Folge eines **Schlaganfalles** vor zehn Jahren. Mein Körper wird elastisch; ich fühle mich wohl. Mein Glaube zu den Heilkräutern ist fest und stark.«

*Frau Luise W. aus B. in Frankreich schreibt am 16. Jänner 1980:*

»Ich höre soeben, daß Sie in der Presse angegriffen werden und bin empört. Mir war im August und September 1979 ganz elend, nichts half. Ich fuhr zu einer Kur; man wollte mich fortschicken, ich wäre zu krank. Unerträgliche Schmerzen vom Kopf bis hinunter zu den Füßen. Nach einer dreiwöchigen Kur kam ich müde und kraftlos heim, meine Kräfte nahmen ab. Nun bekam ich aus Deutschland Ihre

Broschüre. Ich begann mich nach ihr zu richten, eines nach dem anderen und siehe: nach 14 Tagen stellte sich überall eine Besserung ein. Ich kann besser schlafen, die **Kopfschmerzen** sind fast weg, die schweren Beine tragen mich wieder, das Herz, das immer so unruhig pochte, ist ruhiger, der Magen nimmt die Speisen besser auf. Bei meiner Blase, die mir soviel Schwierigkeiten bereitete und ich bereits jede Hoffnung auf Besserung verloren hatte, hat sich eine Änderung zum Guten gezeigt. Was litt ich an **Hämorrhoiden**! Auch hier ist es besser geworden. Zwei Jahre hatte ich an einer Oberschenkel-**Narbe Schmerzen**, ich sollte operiert werden, nun hat sich alles beruhigt. Mein ganzes Befinden ist erfreulicher geworden. Das alles danke ich Ihnen und Ihrer aufopfernden Liebe, den Kranken zu helfen.«

*Frau Antonie K. aus R./Bayern schreibt am 17. Jänner 1980:*

»Ich stand wegen meinen **Krampfadern** jahrelang in Behandlung, ich hatte hauptsächlich am linken Bein ständig **Schmerzen**. Nach dreiwöchiger Behandlung mit Ringelblumensalbe waren die Schmerzen weg.«

*Frau Ingeborg K. aus Graz schreibt am 18. Jänner 1980:*

»In meiner Verzweiflung um meinen Vater wandte ich mich an Sie, nachdem ich ein paar Tage zuvor die Broschüre ‚Gesundheit aus der Apotheke Gottes‘ und die ‚Heilerfolge‘ gelesen habe. Ich glaube an die Heilkraft durch die Kräuter Gottes. Wenn man Ihre Bücher durchliest, wird man bestärkt und bekräftigt, sodaß man die Furcht vor einer Krankheit verliert. Leider ist jetzt tiefster Winter und frische Kräuter sind nicht zu finden. Aber dennoch muß ich Ihnen sagen, daß auch die getrockneten Heilkräuter, nach Ihrem Rat angewendet, bereits in wenigen Tagen eine Besserung gebracht haben. Der Durst hat nachgelassen, ebenso der **starke Urindrang**. Auch sein Allgemeinbefinden hat sich in kurzer Zeit gebessert. Zuvor lag er am liebsten den ganzen Tag im Bett, nur auf gutes Zureden hin stand er auf. Heute, also nach wenigen Tagen, ist er bereits in den Hof gegangen und räumt den Schnee ein wenig weg! Sie können sich gar nicht vorstellen, wie glücklich ich darüber bin! Er sagte heute zu mir: ‚Du wirst sehen, im Frühling ist alles wieder gut!‘ Seit drei Wochen hatte er eine **Abneigung gegen Fleisch**, die Bissen gingen im Mund hin und her, er konnte das Fleisch nicht schlucken. Nun ißt er wieder mageres, gekochtes Rindfleisch! Gegen den **Urindrang** macht mein Vater Schafgarben- und Kochsalz-Sitzbäder abwechselnd. Er nimmt 50 g Schafgarbe und eine Handvoll Kochsalz pro Sitzbad.«

*Frau Friederike W. aus A./OÖ. schreibt am 21. Jänner 1980:*

»Ich konnte mit dem in Ihrer Broschüre enthaltenen Rezept ‚Herzwein‘, den ich mir selbst angesetzt habe, erstaunliche Erfolge erzielen. Vor zehn Jahren mußte ich mich einer Operation unterziehen. Man sagte mir, ich hätte ein **schwaches Herz** und werde infolgedessen immer Schmerzen haben. Nach zweimonatiger Einnahme des Herzweins sind meine Beschwerden verschwunden und ich fühle mich auch nicht mehr schwach.«

*Herr Josef Sch. aus H./BRD schreibt am 22. Jänner 1980:*

»In Ihrem Buch ‚Gesundheit aus der Apotheke Gottes‘ las ich zunächst ungläubig von der Heilkraft des Kleinblütigen Weidenröschens. Ich machte jedoch selbst den Versuch: nach einigen Tassen Tee von diesem Kräutlein wurde ich von einer **Prostata-Harnblasen-Entzündung** befreit. Vorher zeigten Medikamente, längere Zeit hindurch genommen, keine rechte Wirkung. Ich danke Ihnen auf diesem Wege mit einem Vergeltsgott. Mögen Sie noch weiterhin vielen Menschen helfen!«

*Eine Ordensschwester aus E./Oberbayern berichtet am 2. Februar 1980:*

»Im September 1979 habe ich einer jungen, schwer **nierenkranken** Frau, die vor einer Nierenoperation stand, selbstgepflückte Kräuter (Goldrute, Gelbe Taubnessel und Labkraut) gegeben. Ein zweitesmal habe ich ihr nach Aufforderung nochmals Kräuter gesandt, da war bereits eine sichtliche Besserung da. Nun erhalte ich am 30. Jänner 1980 folgenden Brief: ‚Vergeltsgott für den Tee. Seit ich ihn trinke, geht es mir gut und vorher ging es mir gar nicht gut.‘ Es sollte die Niere, die nicht mehr richtig arbeitete, herausgenommen werden. Sie hatte noch nie im Leben vor irgend etwas so Angst wie vor dieser Operation. Nun ist der Befund so, daß der Arzt vor einem Rätsel steht.«

*Frau Dora G. aus Wien schreibt am 2. Februar 1980:*

»Schon lange hatte ich vor, Ihnen einige Zeilen zu schreiben, Ihnen für Ihre große Mühe und Liebe, mit der Sie Ihr Buch ‚Gesundheit aus der Apotheke Gottes' verfaßt haben, zu danken. Wie vielen Menschen haben Sie allein durch meine Empfehlung Ihres Büchleins helfen können, die Sie ebenfalls schätzen und durch Anwendung diverser Kräutertees Erleichterung in ihren verschiedenen Leiden erfahren haben. Überall bringt Ihre Broschüre Freude.

Ich hatte seit ungefähr sieben Jahren an **Krämpfen** in den **Waden** gelitten, die sich zu meinem Entsetzen auf die Oberschenkel ausdehnten. Mein sehr tüchtiger Arzt konnte nicht helfen. Seitdem ich jedoch täglich zwei Tassen Salbeitee trinke, sind die Krämpfe gänzlich verschwunden. Auch **Knochenschmerzen** in den Hüften vergehen, wenn ich Schafgarbentee trinke. Daraus können Sie ermessen, in welchem Maße ich Ihnen für Ihr Buch dankbar bin! Und auch noch dafür, daß ich schon vielen Bekannten damit helfen konnte!

So sind zum Beispiel bei einer Ordensschwester die großen **Schmerzen** aus den **Knien** mit Schwedenbitter-Umschlägen vergangen. Den von Ihnen zusammengestellten Tee gegen **Schlaflosigkeit** trinke ich vor dem Schlafengehen und habe gute Erfolge damit erzielt. Ich litt seit jeher an großen Schlafschwierigkeiten. Wenn ich morgens gut ausgeruht erwache und mich strecke, ohne Krämpfe zu bekommen, denke ich in besonderer Dankbarkeit an Sie!«


*Frau Lina Sch. aus R./BRD schreibt Anfang Februar 1980:*

»Lange schon habe ich das Bedürfnis, Ihnen einmal zu schreiben und zu danken. Als ich mit einem gebrochenen Wirbel im Krankenhaus lag, brachte mir jemand Ihre Broschüre ‚Gesundheit aus der Apotheke Gottes', so hatte ich Zeit, sie zu studieren. Im Februar 1979 ist meine Schwägerin vom Krankenhaus mit **Unterleibskrebs** als unheilbar entlassen worden, sie konnte nichts mehr essen und das Zimmer war voll Verwesungsgeruch. Die Ärzte sagten meinem Bruder, es spreche nichts mehr an, sie könne vielleicht noch vier Wochen leben. Von da an hat sie dann täglich 2½ Liter Ringelblumen-, Schafgarben- und Brennesseltee getrunken, schluckweise auf den Tag verteilt und morgens, mittags und abends je einen Löffel Schwedenbitter, verdünnt mit Tee, genommen, auch Schwedenkräuter-Umschläge über den Bauch aufgelegt. Nach kurzer Zeit bekam sie Appetit, konnte wieder essen und der Verwesungsgeruch verschwand. Es sind dann schwarze Klumpen abgegangen, über die sie sehr erschrak. Aber allmählich ging es ihr besser und heute schafft sie ihren Haushalt wieder, kocht und geht spazieren. Der Hausarzt, der den Bericht des Krankenhauses bekam, hat so etwas noch nicht erlebt. Sie hatte auch nebenbei noch Strahlenschäden, einen **Riß** im **Darm** und später an der **Blase**. Sie bekam furchtbare **Blasenschmerzen**, daß der Arzt ihr Morphium geben mußte. Wir fanden dann nach der Abbildung in Ihrer Broschüre das Kleinblütige Weidenröschen. Den daraus bereiteten Tee hat sie eine Woche lang getrunken und alle Schmerzen waren weg. Wir danken unserem Herrgott und Ihnen für das gute Werk, das Sie an den Menschen tun!«


*Frau Gertrud J. aus B./Schweiz schreibt am 6. Februar 1980:*

»Ende Oktober hörte ich von einem fünf- bis sechsjährigen Mädchen mit **Blasenleiden und Bettnässen.** ‚Ach, wenn ich jetzt nur frische Schafgarbe hätte!' kam als Stoßgebet von meinen Lippen. Und wie ein Wunder erhielt ich am nächsten Tag mit der Post ein Paket voll herrlich rosaroter Schafgarbe. Ich konnte diese frischen Kräuter an die Mutter des Kindes mit der nötigen Information, dem Kind davon Schafgarben-Sitzbäder zu machen, übermitteln. Bei der nächsten Arztkontrolle wurde das Kind vollkommen gesund geschrieben. ———

Eine Nachbarin klagte vor drei bis vier Monaten über **Nervosität, Schlaflosigkeit** und heftiger **Migräne.** Die Ärzte fänden keine Ursachen und können ihr nicht helfen. Ich gab ihr gegen Migräne von meinen Schafgarben, bei strahlender Sonne in den Jura-Alpen mit frohem und dankbarem Herzen betend gepflückt. Acht Tage später erzählte sie mir, die Migräne sei verschwunden und etwas später, daß nun alles gut sei und dies, obwohl die Frau in ständigem Streß lebt!

Sind das nicht herrliche Kräuterfreuden, die mir durch Ihre Broschüre und Vorträge geschenkt sind? Möge Ihnen, liebe Frau Treben, durch solche Freuden recht viel Kraft zuströmen für Ihre helfende, dienende und sorgende Liebe im Dienste der Menschheit.«

*Eine Ordensschwester aus Westfalen schreibt am 7. Februar 1980:*

»Lassen Sie bitte Ihr Buch nie auslaufen! Wer es sieht, erkennt trotz gegenteiliger Zeitungsartikel seinen Wert! Im Mai 1965 und dann vier Wochen später hatte ich in Münster zwei **Darmkrebs**-Operationen. 1967 bekam ich in Köln Radium von unten eingeführt. In den Jahren 1965 bis 1967 sollte ich viermal sterben. Auf den guten Rat einer Schwester, die jedoch bereits verstorben ist, trank ich **Lebensbaum-Tee** (Thuja plecata), anfänglich drei Gläser am Tag, von 1969 bis 1978 ein Glas (¼ Liter) täglich. Wegen des Erfolges mit dem Lebensbaum-Tee werde ich sehr oft danach gefragt. Ich habe mir deshalb folgende Zusammenstellung gegen bösartige Erkrankungen aufgeschrieben:

Der verstorbene Krebsforscher DDr. Kuhl aus Rheine, in Amerika anerkannt, bereiste den Osten und forschte nach der Ernährung der Nomadenvölker, die frei von Krebs waren. Er kam zu dem Ergebnis: Krebs ist die Folge der pflanzlichen Ernährung, besonders des gereinigten Mehls und des gereinigten Zuckers. Vorbeugend und heilend wirkt die Milchsäure in irgendwelchen Nahrungsmitteln. Nach Dr. Kuhl sollte man Gebäck, Torten, Weißbrot, auch Süßigkeiten und Traubenzucker meiden, Honig in geringer Menge ist erlaubt. Angeraten werden: Vollkornbrot, saure Äpfel, Sauerkrautwasser, Sauerkraut (vor allem roh), saure Milch ... Kefir. Kefir geht sofort ins Blut, während saure Milch verdaut werden muß. ———

**Wissenswertes über Kefir:** Kefir muß frisch sein. Man kann ihn selbst bereiten. Der Pilz kann im Reformhaus besorgt werden. Wenn er Wasser abgesetzt hat, in dem eine weiße Masse schwimmt, ist Kefir nicht mehr zu gebrauchen.

———

1974 stand in der Zeitung: Der Generaldirektor eines großen Industriewerkes wurde von Jakob Rampp, Kevelaer/BRD, durch seine Kräuterauszüge vom Krebs geheilt. Rampp selbst war als Gefangener im Zweiten Weltkrieg in Griechenland. Die Lagerärzte und die deutschen Ärzte bestätigten ihm, daß er **Lepra** habe. Er entwich in die Bergwälder. Er ernährte sich von Kräutern, die oft verschimmelt waren, da er nicht immer fähig war, frische zu sammeln. Er stellte nach einiger Zeit fest, daß sein Ausschlag wich und fühlte sich schließlich gesund. Dies bestätigten ihm die fremden und die deutschen Ärzte nach seiner Rückkehr ins Lager. Wieder in Deutschland begann er verschiedene Kräuter zu mischen und heilte damit zunächst Krebskranke in seiner Umgebung. Heute verschickt er seine Mittel.

———

Eine Mitschwester, die in Köln wegen **Krebs** operiert wurde, erhielt von ihren Angehörigen laufend die Mittel von Rampp. Sie hat heute keinen Krebs mehr. Ich erfuhr noch folgendes:

———

Eine Mitschwester las in einem Brief aus Peru: Hier haben zwei Herren Breitwegerichtee getrunken und sind von ihrem **Krebs** geheilt. Daher trinken wir zum Vorbeugen jetzt täglich Breitwegerichtee.

———

Eine Mitschwester in der Südsee war 1957 schwer an **Krebs** erkrankt und operiert worden. Nachher aß sie täglich rohes Sauerkraut aus der Büchse. Heute hat sie keinen Krebs mehr.

———

Eine Mitschwester erhielt im April einen Brief aus der Schweiz: Professor Dr. Menschlikoff behandelte ihren Neffen mit Kefir. Er wurde vom **Krebs** geheilt.

———

Ich wußte von all dem, was ich hier geschrieben habe, nichts, als ich im Mai 1965 wegen Krebs in Münster operiert und aufgegeben wurde. In Köln stellte man 1967 in zwei verschiedenen Untersuchungslabors eine der schlimmsten Arten von Krebs fest, behandelte mich mit Radium, brach aber die Behandlung ab, weil nichts mehr zu machen war: ,Der Krebs sprießt von einem zum anderen Mal wie ein Blumenkohl.' Die Blase sei bereits befallen. Ein zweites Mal wurde ich aufgegeben: ,Noch ein paar Monate ...' Ich hatte noch 78 Pfund. Da sagte eine Mitschwester zu mir: Trink Lebensbaum-Tee. Ich kenne fünf Fälle, wo er geholfen hat. Es muß aber der **Riesenlebensbaum** (Thuja plecata) sein. Ich trank und trinke den Tee noch heute. Meine ungläubigen Mitschwestern, die bei meiner Operation waren oder mich gepflegt hatten, schüttelten damals mitleidig den Kopf. Heute sagen sie: Nach deinem Krankheitsbild könntest du nicht mehr leben, wenn der Tee nicht geholfen hätte. Unsere Ärzte: ,Unglaublich, daß die noch lebt. Das soll der Tee bewirkt haben?'«

*Frau E. Z. aus Wien schreibt am 11. Februar 1980:*

»Es ist mir ein echtes Bedürfnis, Ihnen zu schreiben und zu danken, daß Sie vielen Menschen mit Ihrem herrlichen Kräuterbuch helfen können. Ich habe Ihr Kräuterbuch durch Zufall im September 1979 im Urlaub erhalten. In Wien angekommen begann ich mit Brennesseltee-Trinken. Nach ca. drei Wochen fiel mir plötzlich auf, daß mir meine **Füße** nicht mehr so **weh** taten. Ich wiege 88 kg und so kommt es vor, daß ab und zu meine Füße einfach versagen. Dieser Wirkung wegen begann mein Mann ebenfalls Brennesseltee zu trinken. Er nimmt sich täglich zwei Thermosflaschen davon mit in die Arbeit. Inzwischen haben meine sämtliche Wiener Verwandtschaft und alle meine Bekannten Ihr Buch, trinken und probieren alle möglichen Tees, Tinkturen und Salben aus. Wir nehmen Schwedenbittertropfen und mein Herz ist voll Dankbarkeit Ihnen gegenüber, daß ich keine Worte finde, es auszudrücken.«

*Frau Lore H. aus S. schreibt am 15. Februar 1980:*

»Ganz herzlich möchte ich Ihnen für das Buch ‚Gesundheit aus der Apotheke Gottes‘ danken und auch dafür, daß Sie dieses Wissen nicht für sich behielten. Mir hat bei meiner **Migräne** die Schafgarbe sehr geholfen. Seit ich morgens und abends je eine Tasse gebrühten Schafgarbentee trinke, habe ich keine Migräne mehr.«

*Die Ordensschwester E. W. aus R./Bayern schreibt am 23. Februar 1980:*

»Mit Erfolg trinke ich seit April vorigen Jahres Labkraut-, Gelben Taubnessel- und Waldgoldrutentee gegen **Nierenschrumpfung**. Seit der gleichen Zeit trinke ich täglich nüchtern eine Tasse Weidenröschentee gegen ein **Blasenleiden**, ebenfalls mit Erfolg. Ich kann in Worten nicht ausdrücken, wie dankbar ich für diese Hilfe durch Ihr ausgezeichnetes Kräuterbuch bin.«

*Frau M. H. aus H./BRD schreibt am 27. Februar 1980:*

»Letzten Sommer bekam mein Bruder, 40 Jahre alt und in leitender Stellung tätig, plötzlich beim **Mundwinkel** einen nässenden **Ausschlag**. Er hatte sich schon ganz hineingefressen, es war ein richtiges Loch geworden. Der Arzt verschrieb eine Salbe um die andere, auch eine sehr teure, die es nur in England gibt, aber nichts half. Es näßte und näßte! Da holte meine Mutter aus dem Garten einen Stengel Schöllkraut, betupfte die Wunde, die dann eintrocknete. Wer weiß, was sonst aus dieser Sache geworden wäre!«

*Frau E. mit Gatten W. schreibt aus Stuttgart am 27. Februar 1980:*

»Mein Mann hat sich nicht zur Operation entschlossen und das war Dank Ihres Buches sein Glück. Er hatte nämlich ebenfalls keinen Krebs, sondern ein veraltetes **Magengeschwür**. Das Wunder geschah durch Ihre Apotheke Gottes! Er trinkt fleißig eine Teemischung aus Ringelblumen, Beinwurz und Vogelknöterich. Die Kräuter haben nicht nur geholfen, sie haben auch sein Aussehen merklich verjüngt! Die **Narbe** an der Brust behandelte ich mit Ringelblumensalbe, sie ist schon verheilt. Außerdem mache ich gerade eine Brennessel-Teekur und trinke vor dem Schlafengehen eine Tasse Ihres Schlaftees. Auch der Schwedenbitter geht bei mir nicht aus. Auch brauche ich die starken Schlafmittel zum erstenmal nicht mehr. Und meiner **Migräne** begegne ich mit Schwedenbitter. Liebe Frau Treben, Ihnen gehört eine Auszeichnung, mein Mann meinte sogar, wenn es nach ihm ginge, würde er Ihnen den Doktorhut verleihen. Sie sind von Gott dazu berufen, Ihr Wissen zum Wohle anderer Menschen weiterzugeben. Wir beten täglich für Sie.«

*Frau M. B. aus Dü./BRD schreibt am 28. Februar 1980:*

»Mit diesem Schreiben möchte ich mich für das Buch ‚Gesundheit aus der Apotheke Gottes‘ bedanken. Ich habe daraus für mich einen ganz großen Heilerfolg erfahren. Seit fünf Jahren hatte ich dauernd furchtbare Schmerzen im linken Bein bis teilweise zum Beinansatz und der Hüfte. In Ihrem Buch fand ich unter **Durchblutungsstörungen** den Hinweis auf Bäder mit frischen Brennesselwurzeln. Ich machte es genau nach Ihren Angaben und nach dem ersten Bad waren die Schmerzen weg. Das war im Mai 1979. Ich wiederholte die Bäder noch einigemale. Ich konnte es kaum fassen, daß das möglich war, denn vorher meinte ich oft, es würde mir mit Messern durch Adern und Fleisch gestochen. Im Oktober 1979 hatte ich es plötzlich im rechten Bein, aber nur zwei Tage. Denn ich machte nochmals ein Bad mit frischen Brennesselwurzeln und auch diese Schmerzen waren fort. Man hat mir bei der Behandlung niemals gesagt, daß es sich um Durchblutungsstörungen handelt.«

*Frau Hildegard F. aus Graz/Stmk. schreibt am 3. März 1980:*

»Durch Gottes Fügung habe ich ein Gespräch mit einem 74-jährigen überglücklichen Mann geführt, der durch die Schwedentropfen sein **Gehör** über Nacht wiedererlangt hat, das er 1944 nach schwerster Kopf- und Hirnverletzung im Kriege verloren hatte. Er hat es nach dreimaligem Einführen eines mit Schwedenbitter getränkten Wattebäuschchens wiedererlangt. Mein Sohn hatte zahlreiche **Schwellungen** an der rechten Halsseite und unter dem Arm. Nach mehrmaligen Schwedenbitter-Auflagen und Umschlägen mit kalt angesetzter Käsepappel, ebenso auch Tee davon und von einer Tasse Labkraut- und zwei Tassen Zinnkrauttee sind diese Schwellungen weicher und kleiner geworden. Gegen meinen **niederen Blutdruck** nehme ich dreimal täglich Mistelsaft.

–––––––––

An ein Wunder grenzt dies: seit langem spürte ich fallweise einen kleinen **Knoten** an der rechten Halsseite unterhalb der Schilddrüse. Vor ca. 14 Tagen bekam ich plötzlich große Schmerzen, die sich in die rechte Schulter bzw. oberhalb des rechten Ohres bis in die Kopfregion fortsetzten. Durch intensive Behandlung mit Schwedenbitter am Hals, der Schulter, im und um das Ohr herum, über die Schläfe und Stirn sowie Nacken und Auflagen von Kompressen mit Käsepappel-, Spitzwegerich- und Huflattich-blättern sowie Trinken dieser Tees nebst Brennesseltee – den ich jetzt täglich trinke – ist der Knoten weg und ich bin vollkommen schmerzfrei.«

*Frau Hedwig T. aus G./BRD schreibt am 8. März 1980:*

»Ein älterer Herr aus meinem Bekanntenkreis hatte **Lungenkrebs**, er war sehr elend, er hatte bereits einen Herzinfarkt und vieles andere nebenbei. Er ist Dank Ihres Buches auf dem Weg der Heilung. Bei der letzten Röntgenaufnahme war der Arzt sehr erstaunt, er frug, was er gemacht hätte! Der Herr sagte ihm alles, worauf der Arzt meinte: ,Lassen Sie alles andere weg und machen Sie so weiter!'«

*Frau Inge F. aus Rh./BRD schreibt am 10. März 1980:*

»Mit dem Schwedenbitter habe ich bei unserer zwölfjährigen Tochter eine nach einer Operation zurück-gebliebene häßliche **Wunde** am Oberarm zum Teil weggebracht. Sie ist zur Hälfte schon gut abgeheilt. Meine Tante, die lange Zeit hindurch am rechten Fuß einen dicken, **entzündeten Knoten** hatte und kaum in Schuhe hineinkam, hat ihn durch Schwedenkräuter-Umschläge weggebracht. Der Knoten ist zurück-gegangen und frei von Entzündungen. Sie kann wieder ohne Pflaster und schmerzfrei gehen.«

*Herr Hermann K. aus Lübeck schreibt am 11. März 1980:*

»Anfang 1979 stellten sich bei mir einige, sicherlich dem Alter entsprechende, unvermeidliche Schwächen ein: leichtes **Herzflattern, Arthrose** in den Knien, Hüften und Schulterblättern; auch der **Schlaf** war nicht mehr so erquickend wie früher. Meine Frau und ich wandten uns an einen Internisten und Orthopäden, aber wir stellten nach einem halben Jahr die Behandlung ein, weil keine Besserung eintrat.

Aber jetzt kommt die wunderbare, göttliche Wendung. Ich studierte im Juli 1979 ganz gründlich Ihre ausgezeichnete Broschüre und begann laut Ihrer Anweisung die Anwendung der heilsamen Kräuter gegen unsere Schwächen und Krankheiten. Wir haben wohl als Kneippianer in den Jahrzehnten unserer Ehe morgens und abends Kräutertee getrunken, aber niemals so gezielt, wie es Sie klar und begreiflich in Ihrer Broschüre empfehlen.

Ich kann Ihnen zu unserer großen Freude und Überraschung mitteilen, daß schon nach vierwöchiger Anwendung Ihrer Kräuter eine spürbare Besserung festzustellen war. Im Juli begann ich Schwedenbitter anzusetzen. Dann den köstlichen Herzwein Dr. Hertzkas, wovon wir täglich zwei kleine Gläschen nehmen. Am Abend trinken wir vor dem Schlafengehen den aus fünf Kräutern bestehenden Schlaftee. Nun noch weiter kreuz und quer durch Ihre Broschüre: Mistel-, Brennessel-, Zinnkraut-, Schafgarben-, Bärlapptee usw. Jetzt nach gut sechs Monaten Anwendung all der wunderbaren Naturheilmittel fühlen wir uns wesentlich frischer, beweglicher, gesünder und lebensfroher.«

*Frau E. Sp. aus F./NÖ. schreibt am 18. März 1980:*

»Eine Bäuerin aus unserer Gegend hat sich mit Schwedenbittertropfen eine eitrige **Stirnhöhlenentzündung** kuriert. Weiters wurde im Herbst bei dieser Bäuerin ein **Myom** festgestellt. Nun kam sie zur Operation, aber der Arzt sagte: ‚Was machen Sie denn hier? Sie sind ja gesund!' Sie hatte ebenfalls Schwedenbittertropfen eingenommen.«

*Frau B. F. aus R./NÖ. schreibt am 20. März 1980:*

»In meinem Haushalt gehen die Schwedenbittertropfen nicht aus! Ich habe durch sie — ich bin 36 Jahre alt — die furchtbaren **Regelbeschwerden** innerhalb eines Jahres weggebracht, obwohl die Ärzte mir sagten, daß ich mich damit abfinden müsse. Nebenbei gewöhnte ich mir durch sie das Rauchen ab, ohne dabei zuzunehmen. Mein 12-jähriger Sohn hat nach dreimonatiger Einnahme seine **Eßschwierigkeiten** angebracht und ist weniger nervös und hysterisch in der Schule und mein Mann ist seither mit seinem **Rheuma** besser daran.«

*Frau Helen M. aus B./BRD schreibt am 20. März 1980:*

»Meine langjährige **Stuhlverstopfung** habe ich mit Schwedenbitter ganz ausgeheilt. Ganz gleich wo es mir weh tut, er hilft immer. Einmal hatte ich durch einen **Insektenstich** einen dicken Finger. Ich tränkte mein Taschentuch mit Schwedenbittertropfen und wickelte es um den Finger. Die Geschwulst ging nach etwa einer Stunde zurück. Auch mit den vorgeschriebenen sechs Schluck Kalmustee habe ich mir und meinem Mann schon oft geholfen, da, wo es mit **Magen und Darm** nicht geklappt hat.«

*Frau E. C. aus G./Stmk. schreibt am 24. März 1980:*

»Nach einer schweren **Bänderzerrung** und einigen Wochen Gips nahm ich Heublumenbäder: die Schmerzen hörten in wenigen Tagen auf. Eine Bekannte, die keine Bäder nahm, leidet heute noch daran. — Mein Mann bekam nach einer schweren Anstrengung **Hämorrhoiden**, die er vier Wochen lang vergeblich mit verschiedenen Salben und Zäpfchen zu heilen versuchte. Jemand riet uns zu Zinnkraut-Sitzbädern. Nach fünf Bädern waren sie weg und sind nicht wiedergekommen.«

*Frau Gertrude J. aus B./Schweiz schreibt am 25. März 1980:*

»Ein 24-jähriger junger Mann kam vom Militärdienst heim, legte sich mit **hohem Fieber** ins Bett, die Temperatur stieg bis 41° C. Der Arzt war ratlos, sprach von einem Virus, kein Mittel half. Als sich in der dritten Woche plötzlich ein Kranz angeschwollener Drüsen um den Hals zeigte, stellte der Arzt **Lymphdrüsenfieber** fest. Die sehr bekümmerte Mutter flehte um Hilfe bei mir, ich verschaffte ihr Majoranöl, gewonnen aus im Garten angesetzten Pflanzen. Das Bestreichen der Drüsen mit diesem Öl hatte sofort Wirkung, das Fieber sank noch am gleichen Tag und kam auch nicht mehr zurück.«

*Frau Angelika L. aus dem Saargebiet schreibt am 26. März 1980:*

»Ich hatte vergangenen Sommer Zedernblätter (Zypressen) in 38 %igem Branntwein 10 Tage angesetzt, um damit **Warzen** wegzubringen. Mein Enkel ist Maschinenschlosser und hatte beide Hände, durch die scharfe Seife zum Händereinigen, voller Warzen. Er hat sie täglich mit der Zedern-Essenz betupft, die Warzen sind verschwunden. Vielen Dank!«

*Herr Peter K. aus B./BRD schreibt am 26. März 1980:*

»Im November letzten Jahres hat mir ein Bekannter Ihre ‚Gesundheit aus der Apotheke Gottes' gebracht als ich ihm erzählte, daß unsere Oma, 78 Jahre alt, sich seit Ihrem Krankenhaus-Aufenthalt nicht einmal mehr kämmen könne. Sie lag im Bett und konnte sich einfach nicht mehr erholen. Im Krankenhaus konnte man nicht feststellen, was ihr fehlte. Das einzige, was man verordnete, waren Tabletten gegen ihren **hohen Blutdruck** (200), die jedoch nicht halfen. Nun legte man ihr einen kleinen Polster mit getrocknetem Bärlapp auf die Nierengegend, so wie Sie es in Ihrer Broschüre beschreiben. Wir alle konnten es fast nicht glauben: beim letzten Arztbesuch war der Blutdruck nur noch auf 140. Schwedenbitter und Misteltee haben sie wieder soweit hergestellt, daß sie nun wie früher ihrer Hausarbeit nachgehen kann.«

*Herr Emil M. aus München schreibt am 30. März 1980:*

»Ich litt seit Jahren an einer **Knieverletzung**, so daß ich oft tagelang kaum gehen konnte. Ich bin 70 Jahre alt. Ich behandelte laut Ihrer ‚Apotheke Gottes' das Knie mit Beinwurz-Essenz. Nach einigen Wochen täglichen Einreibens mit dieser Essenz haben die Schmerzen nachgelassen, auch ist die **Verformung des Beines** vollkommen zurückgegangen, so daß ich wieder normal laufen kann. Ich möchte Ihnen meinen herzlichen Dank aussprechen.«

*Herr Albert K. aus Sch./Tirol schreibt am 12. April 1980:*

»Eine Frau hatte jahrelang einen **offenen Fuß**, den sie sich durch eine Verletzung zugezogen hatte und der nicht mehr zuheilen wollte. Ich preßte aus den Blättern des Spitzwegerichs Saft aus, den sich die alte Frau auf die offene Fußstelle aufstrich. Der Fuß war innerhalb von 14 Tagen verheilt.

———

Durch Schwedenbitter, den ich täglich zweimal über die Augen strich, sehe ich jetzt wieder schärfer. Ich bin auf einem Auge staroperiert und habe nun auch am zweiten Auge **Grauen Star**. Auch **höre** ich, seit ich die Tropfen in die Ohren einführe, wieder **besser**. An der linken Leiste hatte ich seit vier bis fünf Jahren eine gänseeigroße **Geschwulst**. Nach Auflage von Schwedenbitter als getränkte Watte ist zu meiner großen Freude diese 1 cm hohe Geschwulst verschwunden.«

*Herr Jaroslav V. aus L./OÖ. schreibt am 14. April 1980:*

»Mich plagte **Rheuma** in den Schultern und Knien. Durch Tabletten und Bestrahlungen wurde es etwas gemildert, aber ich hatte immer noch starkes Stechen in den Gelenken. Durch den Hinweis in Ihrer ‚Apotheke Gottes' setzte ich mir den Schwedenbitter an und sammelte vor allem Zinnkraut. Es ging natürlich nicht über Nacht, aber ich verlor allmählich die Schmerzen. Heute bin ich vollkommen schmerzfrei. Und dies verdanke ich Ihnen allein!«

*Frau Gertrud J. aus B./Schweiz schreibt am 15. April 1980:*

»Eine 68-jährige Bauersfrau wurde vor ca. zehn Monaten an **Unterleibskrebs** operiert. Bald nach Einlieferung der Frau ins Krankenhaus kam ich mit ihrem Mann ins Gespräch, der mir seinen großen Kummer erzählte. Ich machte ihm Mut und riet ihm, sogleich nach der ‚Apotheke Gottes' Kräuter zu sammeln, um seiner Frau damit nach der Entlassung aus dem Krankenhaus zu helfen. Er hat das dann auch eifrig getan. Es kamen noch **Nierenstörungen** sowie ein **hoher Blutdruck** hinzu. Der Arzt verordnete ihr jedoch ebenfalls statt Tabletten Kräutertee. Nach der Entlassung aus dem Krankenhaus wurden gegen die Unterleibssache die gesammelten Kräuter eingesetzt, die in der ‚Apotheke Gottes' unter ‚bösartigen Unterleibserkrankungen' zu finden sind. Es sind noch nicht vierzehn Tage her als ich das Ehepaar traf, das eben von einer ärztlichen Kontrolle kam. Das ärztliche Attest lautete: ‚Ganz geheilt!' Und staunend fragte der Arzt, was die Patientin getan hätte. Als er hörte, sie hätte unter anderem auch Brennesseltee getrunken, meinte er: ‚Das ist sehr gut, tun Sie es weiter!'

———

Nach der Frühmesse klagte mir eine Nachbarin (mit großem Gasthof), ihr Mann habe **Nierenbecken-Entzündung** und **Blut im Harn**. Dabei sind für Sonntag sehr viele Gäste angesagt. Um der geplagten Wirtin die Mühe zu ersparen, richtete ich in einer großen Thermosflasche einen Nierentee mit viel frischen Brennesseln darunter, an. Bereits zu Mittag fühlte sich der Patient wieder so wohl, daß er am gleichen Tage an einer Wirteversammlung teilnehmen konnte. Abends hat er mir das freudestrahlend erzählt, als ich die **Finger** seiner Frau, die durch ein scharfes Waschmittel **verätzt** waren, mit Schweden-bitter versorgte, damit sie am anderen Tag die vielen Sonntagsgäste bewirten könne. Wie macht doch das Helfen und Dienen so froh!  ———

Ich konnte einen achtjährigen lieben Jungen, den Sohn unseres Postmeisters, der an **Kopfweh und Erbrechen** litt, mit Tee aus Schafgarben, die von mir betend in den Jurabergen im Juli gesammelt worden waren, binnen 14 Tagen heilen. Die Kräuter in diesen Höhen pflücke ich stets mit großer An-dacht, spüre ich doch den Hauch des Himmels und den Segen unseres Herrgotts darüber streichen!«


*Frau Gudrun Sp. aus Pr./BRD schreibt am 17. April 1980:*

»Hier bei uns in Pr. im Kreise junger Frauen anläßlich einer Geburtstagsfeier kamen wir auf die ‚Apo-theke Gottes‘ zu sprechen. Jeder von uns ist davon überzeugt, daß wir wieder mehr zur Natur zurück-greifen müssen. Ich litt schon jahrelang an **Verdauungsstörungen**. Jetzt trinken mein Mann und ich regelmäßig Brennesseltee, seitdem fühlen wir uns viel wohler. Auch der Schwedenbitter hat uns schon viel geholfen.«


*Frau Isabella St. aus G./BRD schreibt am 17. April 1980:*

»Ich habe nach der Entbindung meines Sohnes gute Erfahrungen mit dem Schwedenbitter gemacht. Da ich eine Art Blitzgeburt hatte und der Arzt Vergrößerungen meiner **Hämorrhoiden** vermeiden wollte, wurde ein besonders großer **Dammschnitt** gemacht. Ich konnte kaum sitzen, die Wunde spannte fürchterlich, außerdem hatte ich wegen der Hämorrhoiden mit dem **Stuhlgang** größte Schwierigkeiten. Die mir im Krankenhaus verabreichten Spülungen und Sitzbäder mit kamillehaltiger Substanz brachten keinerlei Linderung und Erleichterung. Als sich nach sechs Tagen statt einer Verbesserung eine Verschlechterung einstellte, die Ärztin die Zurückbildung der bei mir besonders großen Hämorrhoiden als langwierig bezeichnete, die Monate dauern könne, griff ich nach dem Schwedenbitter. Schon nach dem ersten Umschlag, den ich mir nachts im Krankenhaus machte, ließ die Spannung der Wunde nach; sobald sich die Auflage trocken anfühlte, feuchtete ich nach; bereits am nächsten Morgen waren die Hämorrhoiden erheblich kleiner und die **starke Schwellung** abgeklungen. Das fiel auch der Schwe-ster auf, die an mir die Spülungen vornahm. Ich hätte ihr die Ursache dieser jetzt plötzlich auftretenden, raschen Heilung zu gerne gesagt, aber die Vorurteile gegenüber Heilkräutern sind in Krankenhäusern unberechtigter Weise so groß, daß man bei entsprechenden Hinweisen auf Granit beißen würde. — Bereits am übernächsten Abend konnte ich auf die Schmerztabletten verzichten, ohne die ich seit Ge-burt meines Sohnes nicht schlafen konnte. Zuhause behandelte ich mich mit Schwedenbitter und einer Hämorrhoidensalbe weiter, die mir meine Mutter nach Ihrem Rezept bereitet hatte. Schon bald konnte ich wieder richtig sitzen und brauchte auch keine Abführmittel mehr. Alles ist wunderbar verheilt, die großen Hämorhoiden haben sich zu kleinen, dünnen Läppchen zurückgebildet.

Aber der Schwedenbitter hat mir auch noch in ganz anderer Weise geholfen. In den letzten Tagen der Schwangerschaft **fühlte** ich mich unsagbar **müde, schwach und matt**, außerdem fing wieder die **Übelkeit mit Erbrechen** an wie im ersten Drittel der Schwangerschaft. Ich spürte, daß irgend etwas mit meinem Körper nicht in Ordnung war, nahm Schwedenbitter öfters am Tag verdünnt mit Wasser, machte auch mehrmals davon Umschläge um den Kopf, weil mich eine große Müdigkeit überfiel und ich mich nach diesen Umschlägen wacher und frischer fühlte. Ich ließ bei meiner Hausärztin mein Blut untersuchen. Bevor noch das Ergebnis der Blutuntersuchung einlangte, setzten früher als erwartet die Wehen ein und ich mußte ins Krankenhaus. Einen Tag nach der Geburt erfuhr meine Ärztin die Blutwerte und schlug sofort Alarm, da ich nach ihnen eine ansteckende **Gelbsucht** hätte haben müssen. Ich wurde von den anderen Patienten isoliert, durfte mein Zimmer nicht verlassen; einen Tag später kam ich auf die Infektionsabteilung eines anderen Krankenhauses. Die Ärzte konnten sich nicht erklären, warum mein Körper nicht gelb wurde; auch durch Abtasten der Leber konnten sie nichts feststellen. Schmerzen hatte ich keine, die Übelkeit stellte sich nicht mehr ein, überhöhte Temperatur war auch nicht da. Ich nahm während der ganzen Zeit fleißig Schwedenbitter, meine Blutwerte wurden von Tag zu Tag besser, so daß die Ärzte keinen Grund sahen, mich länger im Krankenhaus zu behalten.

Ich habe die wunderbare Heilkraft des Schwedenbitters erfahren und lasse ihn nie mehr ausgehen. Diese positiven Erfahrungen motivieren mich natürlich, mich weiterhin und intensiver als bisher mit Heilkräutern zu beschäftigen, ihnen Vertrauen zu schenken. Ich danke Ihnen sehr für Ihre wertvollen Ratschläge durch Ihre Broschüre und wünsche Ihnen noch viele Jahre fruchtbaren Schaffens.«

*Herr Alfred H. aus Coburg/BRD schreibt am 23. April 1980:*

»Das Kleinblütige Weidenröschen hat mir bei meinen **Prostata-Beschwerden** geholfen. Ich lag mit einem Herzinfarkt im Landeskrankenhaus Coburg. Ich hatte nebenbei Prostata-Beschwerden, die man mir jedoch wegen meines schlechten Herzens durch Operation nicht nehmen konnte. Man müsse, falls es schlechter würde, ein Dauerröhrchen einführen. – Dann erfuhr ich von dem herrlichen Kleinblütigen Weidenröschen, das so vielen in ähnlichen Leiden geholfen hat. Ich begann täglich drei Tassen davon zu trinken; in ein paar Tagen war ich alle Prostata-Beschwerden los. Nun trinke ich zur Ausheilung noch zwei Tassen pro Tag. – Unserem Hergott danke ich vom ganzen Herzen. Mögen Sie, Frau Treben, mit dem Kleinblütigen Weidenröschen noch vielen Menschen in gleicher Not helfen. Es ist unglaublich, daß Gottes Heilpflanzen – wenn die Schulmedizin keinen Rat mehr weiß – so gute Hilfe bringen.«

*Herr Fritz F. aus M./BRD schreibt am 25. April 1980:*

»Ich hatte seit Jahren Tag und Nacht **Kopfschmerzen**; kein Arzt konnte mir helfen. Neurologen haben wiederholt wochenlang Kuren durchgeführt – alles umsonst. Ich hörte von Ihrer ‚Apotheke Gottes'. Nach ihr trinke ich seit einigen Wochen Brennesseltee und meine Kopfschmerzen sind fast verschwunden. Außerdem trinke ich täglich mit Erfolg Misteltee (**Herz, Kreislauf und Blutdruck**). Das alles verdanke ich Ihnen! Auch der Schwedenbitter ist in Gebrauch.«

*Frau Dr. Eva M. aus Budapest schreibt am 29. April 1980:*

»Ich möchte Ihnen Dank dafür sagen, daß Sie so vielen leidenden Menschen helfen. Zuerst habe ich versucht, die kranken **Kniegelenke** meiner Mutter mit Zinnkraut- und Brennesseltee zu kurieren. Obwohl sie nicht immer die vorgeschriebene Menge schluckt, ist die Besserung nach sechs Wochen auffallend. Sie konnte vorher die Stiegen nicht mehr steigen und lag jede Nacht wegen Schmerzen einige Stunden wach. Beim Aufstehen sind ihre Knie immer noch etwas steif und auch wenn sie zuviel arbeitet, aber die Nächte sind schmerzfrei und die Treppen kann sie wieder so gut steigen wie früher.

———

Vor acht Jahren erkrankte ich an einer **Coli-Infektion der Blase und der Niere**. Weder Kräuter noch Arzneien halfen. Ich hatte immer häufiger Anfälle mit fürchterlichen Schmerzen, **hohem Fieber**, **Schüttelfrost** und **Blutharnen**. So vergingen mehr als drei Jahre, die Anfälle kamen trotz Antibiotika jede dritte Woche; auch in der Zeit zwischen den Anfällen fühlte ich mich nicht wohl. Ein altes Kräuterbuch wies auf Zwiebeln hin. Ich fing nun an, täglich eine oder zwei kleine Zwiebeln zu essen. In drei Tagen hatte ich meine gute Farbe wieder, die Temperaturerhöhung verschwand, ich hatte keine Schmerzen mehr. Da ließ ich das Zwiebelessen, nach einer Woche fühlte ich mich wieder schlechter. Nun aß ich tapfer weiter Zwiebel mit Schafkäse, in Kartoffelsalat usw. Nach einigen Wochen war ich vollständig geheilt und hörte mit dem Zwiebelessen auf. Ich möchte dieses Rezept allen an Coli-Infektion der Blase und Niere Leidenden weitergeben! ———

Alte Bäuerinnen ziehen in Blumentöpfen Meerzwiebeln. Klein geschnitten, in heißem Fett ausgeprasselt, durch ein Leinentüchlein gefiltert, wird eine wunderbare Salbe gewonnen, die bei **entzündeten Brüsten** junger Mütter einmalig hilft. Ich kuriere damit **Furunkeln, Nagelbettentzündungen, Schnittwunden** und vereiterte **Wunden**. Bei einem neunjährigen Kind wollte die Wunde nach einer Blinddarmoperation nicht heilen. Die Meerzwiebel-Salbe hat auch hier über Nacht geholfen. Eine Menge Eiter wurde aus der Wunde gezogen, nach zwei Auflagen schloß sie sich und heilte ab. – Blutende **Ekzeme** am Rücken habe ich mit frischem Schöllkrautsaft weggebracht.«

*Frau Maria K. aus N. i. H. schreibt am 5. Mai 1980:*

»Es ist mir ein Herzensbedürfnis, Ihnen von ganzem Herzen zu danken. Ich hatte sieben Jahre hindurch einen **offenen Fuß**, der recht und schlecht heilte und immer wieder aufbrach. Im letzten Jahr wollte er überhaupt nicht mehr heilen. Die offene Stelle saß am Schienbein und war so groß wie ein 100-Schilling-Stück. Ich sollte ins Spital. Durch Zufall bekam ich Ihr Buch ‚Apotheke Gottes‘ und las von der Ringelblumensalbe. Ich machte sie mir nach Ihrem Rezept. Die Entzündung war damit bald abgeklungen; nach einem halben Jahr war die Wunde am Fuß zugeheilt. Dafür möchte ich Ihnen nochmals herzlich danken!«


*Frau Helga K. aus Wien schreibt am 16. Mai 1980:*

»Zunächst möchte ich mich ganz herzlich für Ihre Hilfe bedanken, die ich durch die ‚Apotheke Gottes‘ erhielt. Ich litt seit zehn Jahren unter **Schlaflosigkeit**. Ich habe außer schweren Medikamenten (Entspannungstabletten) nebenbei auch eine Schlafkur im Krankenhaus gemacht, die jedoch auch nicht half. Ich war 30 Jahre lang als Kindergärtnerin tätig; man stellte eine totale **Erschöpfungsdepression** fest, die mir eine Frührente bescherte. So versuchte ich, nun schon voller Zweifel, Ihr Rezept gegen Schlaflosigkeit und bin ganz glücklich, daß ich jetzt gar keine Tabletten mehr brauche. Allerdings gebe ich in den Tee, den ich vorschriftsmäßig vor dem Schlafengehen trinke, einen Eßlöffel Schwedenbitter dazu, sowie je nach Müdigkeit zusätzlich ein paar Baldriantropfen.«


*Frau Dr. Ulla W. aus Stuttgart überläßt mir bei einem Kräuterseminar am 2. Juni 1980 folgenden Hinweis:*

»Meine Mutter hat mit dem **Königsfarn** (auf der Unterseite mit den schwarzen Punkten) bei **Ischias** in vielen Fällen geholfen. Die Blätter vom Königsfarn werden mit der Unterseite (also mit den schwarzen Punkten) auf den Oberschenkel gelegt und mit einem Frottierhandtuch abgebunden und gut befestigt. Diese Packung bleibt die ganze Nacht auf dem Bein, auch wenn sich große Schmerzen einstellen sollten. Am nächsten Morgen ist in den meisten Fällen die Ischias verschwunden; das Handtuch schüttelt man aus, das Schwarze vom Farn geht dann ab.«


*Herr Josef G. aus Br./OÖ. schreibt am 6. Juni 1980:*

»Ich litt beinahe zehn Jahre an einer **Dickdarmentzündung**. Jahrelange medizinische Behandlungen und Krankenhaus-Aufenthalte blieben erfolglos. Durch eine Kur mit Käsepappeltee, in kaltem Ansatz über Nacht zugestellt, nebenbei das Essen von Reisschleim, haben mich von dieser Krankheit befreit.«


*Frau Else A. aus S./BRD schreibt am 8. Juni 1980:*

»Vor allem möchte ich Ihnen für die ‚Apotheke Gottes‘ danken. Mein Mann hatte Samstag vor Pfingsten einen Unfall, er wollte einen Handrechen nach der Arbeit aufhängen. Dabei rutschte der ca. 30 Pfund schwere Rechen durch die Hand auf Auge und Nase. Das Augenlid platzte auf, das Gesicht, besonders die Nase, schwoll sofort stark an und verfärbte sich in allen Farben. Wir machten stündlich Schwedenkräuter-Umschläge. Dienstag nach Pfingsten konnte er wieder arbeiten (Winzer und Landwirt); nur das Auge war noch etwas blutunterlaufen. Die Schmerzen und der blau-grüne **Bluterguß** waren bereits am gleichen Tage des Unfalls gegen Abend verschwunden.«


*Frau Wilma M. aus Br.-A./BRD schreibt am 9. Juni 1980:*

»Bei unserer 18-jährigen Tochter fiel im März 1979 die **Periode** aus. Auf Grund des Kräuterbuches hat sie täglich morgens nüchtern eine Tasse Schafgarbentee getrunken. In letzter Zeit haben wir noch etwas Rosmarin dazu gegeben. Zu unserer großen Freude hat sich nun nach einem Jahr Pause die Regel wieder eingestellt. Wir haben mit diesem Beispiel die Kraft der Heilkräuter aus Gottes Apotheke erfahren und nehmen dies als Geschenk Gottes in Dankbarkeit entgegen.«

*Frau Aurelia D. aus U. L./Stmk. schreibt am 11. Juni 1980:*

»Seit 20 Jahren litt ich an einem quälenden **Ekzem**, das sich über die ganze Wade ausbreitete. Die verordneten Salben, Bestrahlungen und nebenbei strenge Diät brachten keine Besserung. Ich war bereits am Rande der Verzweiflung. Dann riet man mir nach Ihrer Broschüre zu einer Brennesselkur. Neun Monate trank ich Brennesseltee. Jetzt ist das Ekzem verschwunden, nichts quält mich mehr, der Fuß ist völlig abgeheilt. Ein herzliches Vergeltsgott!«

*Frau Maria H. aus H./BRD schreibt am 21. Juni 1980:*

»Sechs Wochen lang aß ich feingeschnittene Stiele des blühenden Löwenzahns. Ich merkte, wie ich frischer wurde, so richtig jung! Doch nun ein ganz neuer Erfolg: das gründliche Kauen der Stengel hat meine **Parodontose** geheilt. Meine unteren Schneide**zähne** waren **locker**, öfters eitrig **entzündet und bluteten**, ganz abgesehen von den vielen **Schmerzen**. Groß war mein Erstaunen als nach der Kur die Zähne alle wieder fest wurden, die gezogen werden sollten. Auch jetzt noch esse ich die Stengel, wenn ich sie zwischendurch finde. An der Ellbogen-Oberfläche hatte ich kleine **gewächsartige Verhärtungen**. Sie wuchsen immer wieder nach, sooft ich sie herausschälte. Schöllkrautsaft haben sie weggebrannt.«

*Frau Ingeborg K. aus Stuttgart schreibt am 21. Juni 1980:*

»Wie freue ich mich, daß Sie das Buch »Gesundheit aus der Apotheke Gottes« von Maria Treben neu aufgelegt haben. Ich war sehr unglücklich, als ich hörte, daß es nicht mehr gedruckt werden soll. Frau Treben hat es verstanden, viele Menschen auf die Heilkräuter aufmerksam zu machen. Ich selber habe **Brustkrebs-Lungenmetastasen** und lebe nach drei Jahren immer noch und versorge meine fünfköpfige Familie. Sehr viel verdanke ich den empfohlenen Tees neben der gesunden Ernährung nach Dr. Kuhl, ohne Chemotherapie (Zytostatika). Vor drei Jahren gab man mir nur noch wenige Monate zu leben.

Frau Trebens Buch besitzt Autorität, es steckt hinter diesem Buch mehr als Fachinformation. Es steckt ihr Herz, ihr Helfenwollen, ihre Mühe des Zusammentragens vom Wissen bei vielen, alten Bauersleuten und nicht zuletzt ihr Glaube an Gott dahinter.

Wie viele aus meiner Nachbarschaft wurden gesund! Bei einem 30-jährigen Mann kam ein **Muskelschwund** zum Stehen, solange er die Vorschriften befolgte. Ein älterer Herr litt sehr unter **Schweißausbrüchen**. Jede Nacht schwitzte er das Bettzeug naß, so daß seine Frau jeden Morgen das ganze Bettzeug frisch überziehen mußte. Er konnte kaum Besuche machen, weil er so schnell schweißgebadet war. Vier Tage nach der ersten Tasse Tee, die er in der Broschüre von Frau Treben empfohlen bekam (blauer Malventee), war das Bett das erste Mal trocken und seitdem immer.

Mein Mann hatte viele Jahre lang sehr starke **Knieschmerzen**, mit zweimal einen Schwedenkräuter-Umschlag über Nacht waren die Schmerzen für ein Jahr verschwunden; es reichte ein Nachtumschlag und sie erschienen bisher nicht mehr. All die Tabletten, innerlich genommen, und Salben, äußerlich eingerieben, hatten ihm vorher keine Linderung gebracht. Nicht jedem hilft alles, aber auch nicht jeder macht sich die Mühe, eine Behandlung konsequent durchzuführen.

Eine besonders schöne Nebenwirkung nach dem Lesen des Buches: Man beginnt Kräuter zu sammeln und erhält einen neuen Blick für Gottes reiche Schöpfung, das ist Balsam fürs Gemüt.«

*Frau K. aus W./BRD schreibt am 24. Juni 1980:*

»Meine Schwester, 77 Jahre alt, hatte ein schweres **Gallenleiden**. Mit Schwedenbittertropfen, innerlich genommen, und Schwedenkräuter-Umschlägen auf die Gallengegend, wie Sie es in der ‚Apotheke Gottes‘ beschreiben, hat sie es verloren. Ich sage Ihnen ein herzliches Vergeltsgott!«

*Frau Rita K. aus R./BRD schreibt am 25. Juni 1980:*

»Ich muß ein Lob auf die Schwedenkräuter aussprechen; operierte, ausgeätzte **Warzen** kamen immer wieder. Mit Schwedenbitter betupft heilten sie wunderbar ab.«

48

*Frau Erika G. aus St./OÖ. schreibt am 25. Juni 1980:*

»Durch Ihr Buch ‚Gesundheit aus der Apotheke Gottes' habe ich meine Gesundheit wiedererlangt. Ich bin vor ca. drei Jahren von einem Arzt zum anderen gegangen, weil ich ständig **Blasenentzündung, Blut und Eiweiß im Harn** hatte, nebenbei einen sehr **niedrigen Blutdruck** und chronische **Verstopfung**. Einige Ärzte rieten zur Operation, ein anderer meinte, weniger arbeiten, nichts heben, aber bei einer Landwirtschaft und Kindern läßt sich das leicht sagen. Da erfuhr ich durch Ihr Buch von den Kräutern. Anfangs begann ich mit einer Mistelkur, setzte später Brennesseltee ein, durch den ich wieder normal urinieren konnte. Mit Kamillen-, Schafgarben- und Frauenmanteltee heilte ich meine **Unterleibsbeschwerden** ganz aus. Die Verstopfung brachte ich nebenbei mit rohem Sauerkraut und -saft, ein **Hühnerauge** am Daumen (durch die schwere Landarbeit) brachte ich mit Schwedenbittertropfen-Auflagen weg. Wenn mir nicht gut ist, ich **Zahn- oder Kopfschmerzen** habe, greife ich nach den Schwedentropfen. Früher hatten mein Sohn ich ich öfters **Angina**. Aber jetzt reibe ich zwei bis drei Eßlöffel Kren (Meerrettich), lege ihn in ein Tuch und das Ganze um den Hals. Der Kren (Meerrettich) wird über Nacht trocken und das Halsweh ist weg. Auf diese Art haben wir beide die Angina angebracht. Möge Ihnen unsere liebe Gottesmutter noch sehr viel Kraft und Gesundheit schenken.«


*Herr Alfons L. aus R./BRD schreibt Anfang Juli 1980:*

»Vielleicht bringt der folgende Hinweis manchem leidgeprüften Psoriatiker ebenso wie meiner Ehefrau wirkliche Heilung. In dem Buch ‚Gesundheit aus der Apotheke Gottes', erhältlich beim Verlag W. Ennsthaler, Stadtplatz 26, A-4400 Steyr, wird die Ursache der angeblich als unheilbar bezeichneten **Psoriasis** in einer Leberfunktionsstörung erblickt. In der Tat ist die schon seit Jahren meine Frau peinigende **Schuppenflechte** nach Einnahme des empfohlenen Tees und strenger Einhaltung einer Leberdiät so gut wie verschwunden, und zwar innerhalb von drei Monaten. Die Kur hatte zudem noch sehr beachtliche Nebenwirkungen – Ausbleiben der **Migräne** und Normalisierung eines sehr **labilen Blutkreislaufes**! Ich möchte Ihnen für das Buch herzlich danken.«


*Frau Ingeborg E. aus Rh./BRD schreibt am 11. Juli 1980:*

»Für das von Ihnen mit viel Wissen und Liebe zusammengestellte Buch ‚Gesundheit aus der Apotheke Gottes' möchte ich Ihnen ein herzliches Dankeschön sagen. Allein über die Brennessel bin ich froh, noch einiges dazu gelernt zu haben. Mit Brennessel-Wasser hat mein Großvater bereits in den zwanziger Jahren den Garten gegossen, ich tue es auch in meinem und habe an den Rosen zum Beispiel nie **Läuse**! Ein gutes Rezept für Gartenbesitzer mit Komposthaufen: Brennessel, Schafgarbenblüten und Zinnkraut in einen alten Eimer geben, mit Wasser übergießen und leicht zugedeckt – damit der Regen den Eimer nicht zum Überlaufen bringt – etwa sechs Wochen stehen lassen. In den Komposthaufen Löcher stechen und das Wasser der angesetzten Kräuter hineingießen. Damit verrottet er sehr schnell und man erspart sich die schwere Arbeit des ‚Umsetzens'.«


*Frau Gertrude J. aus B./Schweiz schreibt am 13. Juli 1980:*

»Ich möchte zu dem Erfolg des 45-jährigen Mannes, der seit 20 Jahren unter furchtbaren **Kopfschmerzen** litt und der durch Brennesseltee diese endlich verloren hat, noch folgendes hinzufügen: Durch seine Nierenoperation war er teilweise arbeitsunfähig und stand unter ärztlicher Kontrolle. Durch ärztliche Bescheinigung erhielt er eine Unterstützung der Invalidenversicherung, die den fehlenden Arbeitslohn zum Familienunterhalt ersetzte. Kürzlich erzählte er mir, daß der Arzt ihn als voll arbeitsfähig erklärte. Bei dem jetzigen guten Zustand seiner **Nieren**, seines Blutes und des Urins könne er keine Invalidenversicherungs-Rente mehr beziehen. Der Arzt fragte, was er denn ‚zum Kuckuck' gemacht hätte, daß jetzt alles in Ordnung sei? Der Patient antwortete darauf ein bißchen derb, er hätte täglich einen Liter Brennesseltee ‚gesoffen', worauf der Arzt erwiderte: ‚Und das sagst Du mir erst heute?' Der Patient hat nun die volle Tagesarbeit wieder aufgenommen. Meine Freude darüber war groß und ich hoffe auch die Ihre. Da der Mann in unserem Ort populär und sehr redselig ist, spricht sich seine Brennesselkur natürlich herum.«

*Schwester Elisabeth aus einem Karmel-Kloster schreibt am 15. Juli 1980:*

»Bärenklau-Umschläge haben wir auf einem **arthrosen Knie** ausprobiert, es hat gut getan. Einer unserer Schwestern haben Schwedenkräuter-Umschläge auf die Augen gegen eine **Bindehautentzündung** gut geholfen, ebenso einem Bekannten von mir, der bei mehreren Augenärzten war und keine Hilfe fand. Mir selbst hilft das öftere Betupfen der Augen mit Schwedenbitter gegen Schmerzen, die vom Wind kommen (**Bindehautreizung**), dafür bin ich so dankbar. Wir leben am höchsten Punkt in der Gegend und haben viel Wind, besonders heuer bei den vielen sonnenlosen Tagen.«


*Frau Elisabeth N. aus W./Oberpfalz schreibt am 16. Juli 1980:*

»Im Jänner dieses Jahres bat ich Sie um Ihren Rat wegen der **Herzerkrankung** meines Mannes (Herzinfarkt mit anschließender Entfernung des gelähmten Herzmuskels). Die empfohlene Kur mit Mistel, Herzwein, Schafgarbe, Ehrenpreis und Schwedenkräutern tut meinem Mann sehr gut. Wir möchten Ihnen ein herzliches Vergeltsgott sagen. Die Mutter Gottes hat uns durch Sie geholfen. Meinem Mann geht es jetzt bedeutend besser. Er will versuchen, seinen Dienst nach 1½-jähriger Pause wieder aufzunehmen.«


*Frau Gisela J. aus Wien schreibt Mitte Juli 1980:*

»**Krampfadern** habe ich mit Ringelblumensalbe nach Ihren Ratschlägen behandelt und nach 2 Wochen kann man sie kaum noch sehen.«


*Aus Gießen an der Lahn bekam ich von einer Bekannten folgende Karte:*

»Jetzt nach einem Jahr kann ich Ihnen schreiben, daß meine **Stirnhöhlenentzündung** bestens behoben ist: Sieben Monate, jede Nacht eine Schwedenbittertropfen-Auflage und innerlich jeden Tag zwei Eßlöffel dieser Tropfen eingenommen.«


*Frau Rosina M. aus T./Inn schreibt am 19. Juli 1980:*

»Herzlichen Dank für Ihr Kräuterbuch. Dadurch hat mich der Herr von vielen Krankheiten geheilt. Meine Füße sollten amputiert werden. Mit den Nerven war ich am Ende, ich unternahm zahlreiche Selbstmordversuche. **Zungenkrebs, Krampfadern und Herzleiden**, alles geht weg. Aus einem traurigen und verzweifelten Menschen ist ein neuer Mensch geworden: froh und glücklich. Dafür möge Gott Sie segnen.«


*Frau Edith H. aus Bad K./BRD schreibt am 21. Juli 1980:*

»Vielen Dank für das wunderbare Buch ‚Gesundheit aus der Apotheke Gottes‘. Daraufhin habe ich in meinem Garten Löwenzahn, Brennessel und die Ringelblume angepflanzt. Einen Kräutergarten hatte ich schon: Schnittlauch, Petersilie, Thymian, Liebstöckel, Porree, Zitronenmelisse, Pfefferminze, Estragon, Pimpinelle, Rhabarber. Salbe aus Ringelblumen habe ich bereitet, Sirup aus Löwenzahnblüten — ich nahm Gelierzucker, was eine sehr kurze Kochzeit bedeutet. Schwedenbitter habe ich immer im Haus. Morgens bekommt meine Familie Zinnkrauttee. Ich trinke tagsüber Brennesseltee, weil mein Körper voll **Rheuma** steckt. Vielleicht eine Folge der Flucht. Ich bin aus Tilsit/Ostpreußen. Bei 32 Grad Kälte sind wir getreckt. Ich war damals 18 Jahre alt und beruflich unterwegs und fand meine Familie nach zwei Jahren durch den Suchdienst. Meine Eltern und wir acht Kinder sind aus allen Himmelsrichtungen wieder zusammengekommen. Es war eine große Gnade.«


*Frau H. aus Spr./Deister schreibt am 5. August 1980:*

»Die Schwester einer Bekannten hatte eine sehr schmerzhafte **Nervenentzündung** und wurde bereits dreimal operiert. Nun stand sie wieder vor einer Operation. Ich riet zu Zinnkraut- und Schafgarben-Sitzbädern. Da sie schon immer Sitzbäder machen mußte, anders waren die Schmerzen ohnehin nicht zu ertragen (es ist die Stelle zwischen Scheide und After am Damm), nahm sie nun ein Zinnkraut-Sitzbad. Am nächsten Morgen rief sie ihre Schwester an und sagte wörtlich: ‚Sag mal — spinne ich wohl — die Schmerzen sind weg!‘«

*Frau Irmgard W. aus A./BRD schreibt am 14. August 1980:*

»Ihre Broschüre hat in unserem Haushalt soviel Gutes getan, daß ich mich herzlich für Ihre Hinweise bedanken muß. Mein Mann hatte lange Jahre ein böses Schulter-Arm-**Syndrom** mit furchtbaren Schmerzen zu ertragen. Nach einer Kur mit Schwedenbitter kam es zur Ruhe und wir sind sehr dankbar dafür.«

*Frau Erna G. aus R./OÖ. schreibt am 16. August 1980:*

»Vor Ihrem Vortrag in Ried/Innkreis erzählte ich Ihnen, daß ich nach vier Augenoperationen (Zentralvenen**thrombose,** zu dem der **Grüne Star** kam) den in Ihrer Broschüre angegebenen Tee gegen Grünen Star nehme und es seither ganz gut geht. Bei der Untersuchung war der Primararzt zufrieden. Der Augendruck hat sich noch nicht ganz normalisiert. Seit ich Schwedenkräuter-Umschläge auf das Augenlid lege und es mit Ringelblumensalbe einstreiche, sehe ich besser. Ich bin begeistert von Ihren Anleitungen und trinke auf Ihren Rat hin weiter Ringelblumen-, Ehrenpreis-, Zinnkraut- und Brennesseltee zu gleichen Teilen. Wenn ich gleich nach der ersten Operation diesen Tee getrunken hätte, wären mir vielleicht die anderen drei Operationen erspart geblieben. Danken möchte ich Ihnen auch noch für Ihren so wunderbaren Vortrag, ich glaube, da könnte man eine ganze Nacht zuhören.

Gestern hat mich beim Apfelessen eine **Biene** von innen in die Lippe **gestochen.** Ich betupfte die schmerzende Stelle sofort mit Schwedenbittertropfen, es bildete sich nicht einmal eine Geschwulst. Ich finde das wunderbar!«

*Familie Otto P. aus B./BRD schreibt am 17. August 1980:*

»Unsere Mutter wurde vor kurzer Zeit von einer Katze gebissen, die einen Tag vorher Junge geworfen hatte. Es sah alles weiter nicht schlimm aus, da wir ein Schnapsläppchen auflegten. Später pflückte sie Stachelbeeren und stach sich, bei aller Vorsicht, einigemale an der **verletzten** Hand. Tags darauf war die Hand entzündet und trotz Anwendung allerlei Hausmittel wurde es immer schlimmer, Schmerzen stellten sich ein. Nun wurde frischer Spitzwegerich geholt, gewaschen, durch die Fleischmaschine gedreht und die ganze Hand in diesen Brei gepackt. Morgens war die Geschwulst fast ganz verschwunden, man sah eine sichtliche Besserung. An zwei Abenden noch wurde die Spitzwegerich-Packung gemacht, das Wund**fieber** ging weg und die Hand heilte schnell aus.

———

Unser Vater trinkt den Herzwein und gegen den **Bluthochdruck** Misteltee. Es bekommt ihm alles gut. Auch die Schwedenkräuter haben wir angesetzt und trinken jeden Morgen davon, statt Kaffee täglich Kräutertee. Herzlichen Dank für Ihre Ratschläge mit den Heilkräutern.«

*Ein Kurgast aus Hofgastein schreibt am 18. August 1980:*

»Bei einer Dame löste sich eine schwere **Nierenkolik** aus. Der Arzt verabreichte ihr eine Spritze und meinte, sie möge nebenbei viel trinken. Ich sammelte ihr frische Brennesseln und bereitete den Tee. Am nächsten Tag schon war sie wohlauf und verbrachte in Hofgastein noch einen schönen Urlaub.«

*Frau Cäcilie Sch. aus M./BRD schreibt am 20. August 1980:*

»Von Ihrem Buch ‚Gesundheit aus der Apotheke Gottes' kann man einfach begeistert sein! Die Schwedenkräuter sind großartig, ich lasse sie mir genau nach Ihrer Zusammenstellung von einer Kräuterhandlung in Stuttgart senden. Mein Mann hat das Wunder der Schwedenbittertropfen selbst ausprobiert. Seit seiner Kindheit litt er an **Sodbrennen.** Er konnte keinen Kuchen, kein Obst roh oder gekocht essen, ohne gleich jede Menge an Tabletten nachzuschlucken. Durch die Einnahme von Schwedenbitter, dreimal täglich in Tee oder Mineralwasser genommen, ist das Sodbrennen wie weggeblasen. Eine **Wurstvergiftung,** die schlimme Folgen hätte haben können, habe ich bei meinem Mann mit Schwedenbitter wegkuriert. Drei Likörgläschen, pur, nacheinander getrunken: der Erfolg war durchschlagend! Jedenfalls sind Ihre Anregungen und Ihr Buch nicht mit Gold zu bezahlen! Wir sind so froh, daß wir es haben und möchten Ihnen auf diesem Wege danken.«

*Frau Anna Sch. aus B./BRD schreibt am 20. August 1980:*

»Als eifrige Leserin Ihrer Broschüre ‚Gesundheit aus der Apotheke Gottes' kann ich Ihnen von drei Fällen beste Erfolge mitteilen. Die tägliche Anwendung des Schwedenbitters hat mich von der Last der Maden**würmer**, vom **Mundgeruch** und von meinen **Genickschmerzen** befreit, im letzten Fall habe ich täglich Umschläge gemacht.«

*Herr Oskar S. aus D./BRD schreibt am 22. August 1980:*

»Durch Gottes wunderbare Fügung wurde ich während meines Ferienaufenthaltes in Norddeich, im Hause Nazareth, durch eine Schwester auf Ihr Buch ‚Gesundheit aus der Apotheke Gottes' aufmerksam. Die Schwester aus Dietmold, die ihren Urlaub im Hause Nazareth verbrachte, erzählte mir, daß sie **Speiseröhrenkrebs** hatte und durch Beten und Heilkräutern gänzlich von diesem geheilt sei. Sie habe zuerst zu unserem Herrgott gebetet und dann den Schwedenbitter eingenommen. Die bösartige Krankheit ist restlos weg. Unserem Herrgott sei Dank und Anbetung.«

*Frau Tilly B. aus E./BRD schreibt am 28. August 1980:*

»Als ich drei Jahre an einem **Ekzem** litt, das mit starkem **Juckreiz** verbunden war, keiner mir helfen konnte, schenkte mir meine Schwester, eine Diakonissin, Ihr wunderbares Buch ‚Gesundheit aus der Apotheke Gottes'. Nun trinke ich seit acht Wochen Brennesseltee und habe endlich Ruhe. Ich trinke fleißig weiter und Ihr Buch empfehle ich ebenfalls. Meine Nachbarin und andere trinken ebenfalls Brennesseltee und fühlen sich wohl. Ich möchte mich herzlich für das Kräuterbuch bedanken, damit können Sie vielen helfen.«

*Frau Inge G. aus K./Südwestafrika schreibt am 28. August 1980:*

»Mein Mann, der schon jedes halbe Jahr zur Untersuchung wegen seiner **Prostata** zum Arzt mußte und ich mir deshalb große Sorgen machte (denn fahre mal einer in so einer Notsituation nur eben einmal 280 km weit zum Arzt), trinkt seit zehn Tagen Tee vom Kleinblütigen Weidenröschen und verspürt schon eine Besserung. Ich mit meinem **Nachtschweiß** bekam vom Arzt Pillen, die nach anderthalb Monaten bewirkten, daß ich nicht mehr durch eine Tür gehen konnte, ohne an die rechte oder linke Wand zu stoßen; ich bekam daraufhin neue Pillen gegen **Schwindelgefühle** und den strengen Befehl, die anderen Pillen nicht wegzulassen. Da bekam ich Ihr Buch! Wir haben uns Salbei bestellt und siehe da: alles o. k.! Einem Nachbarn hat Ihr Buch bei seinem **Hautkrebs** geholfen. Nach einem Monat sieht seine Haut schon viel besser aus. Ich könnte heulen, so freue ich mich darüber. Eine andere Nachbarin hat sich Mistel gegen ihren **hohen Blutdruck** bestellt, sie behauptet aber, die helfe ihr überhaupt nicht (vielleicht ist die Mistel nicht in der heilkräftigen Zeit, wie in Ihrem Buch angegeben, gepflückt worden!). Hier in Südwestafrika haben wir auch ein paar Heilkräuter, aber leider nicht ausprobiert, und die jüngere Generation der Eingeborenen weiß weniger davon als ich. Es ist ein Jammer, daß das Wenige, das wir wissen, auch noch verloren geht, da ja jeder nach den Pillen langt. Ich wollte mir schon ein Kräutergärtchen anlegen, es wurde mir wegen des Klimas abgeraten.«

*Frau Käthe L. aus W./Holstein schreibt am 30. August 1980:*

»Mein **Cholesterin**spiegel hat sich nach Trinken von Ehrenpreistee völlig normalisiert. – Vielen Dank Ihnen und Ihrer ‚Apotheke Gottes'!«

*Frau Hildegard Sp. aus L./Südtirol schreibt am 9. September 1980:*

»Ich hoffe, Ihnen eine kleine Freude zu machen, wenn ich Ihnen mitteile, wie mir Ihre Ratschläge geholfen haben. Vorige Woche bekam ich auf einmal arge **Schmerzen** in der **Nieren**gegend, **Urin** ging nur mehr eßlöffelweise ab, die **Füße** waren arg **angeschwollen**. Nichts half, weder Zinnkraut- noch Weidenröschentee, auch die Wasserpille half nicht mehr. Dann machte ich ein Zinnkraut-Sitzbad, das war meine Rettung. In der ersten Nacht, nach dem Bad, mußte ich siebenmal aufstehen und am Vormittag ging es auch noch eine Weile so fort. Als das ganze Wasser aus dem Körper war, wurde alles gut.«

*Frau Ingrid K. aus B./OÖ. schreibt am 15. September 1980:*

»Vor einigen Jahren ist mir durch Zufall Ihre Kräutermappe in die Hände gekommen, von der ich inzwischen richtig begeistert bin. Voriges Jahr rief mich ein guter, alter Freund meiner Eltern an, er war ganz gebrochen, er hatte **Blasenkrebs**. Nachher begann ich ihm zu schreiben, plötzlich fiel mir die Kräutermappe ein – ich blätterte – zitternd vor Aufregung setzte ich den Brief an den Freund fort, zugleich rief ich ein Kräuterhaus an und ließ das Kleinblütige Weidenröschen nach Frankfurt schicken. Nach den ersten Tassen Tee verspürte er bereits eine deutliche Besserung – und jetzt ist er gesund. Er hat mit dem Weidenröschentee inzwischen auch einen anderen Mann gerettet, den er im Spital kennengelernt hatte.«


*Aus einem Schwesternhaus in Westdeutschland kam folgendes Schreiben am 15. September 1980:*

»Die Broschüre ‚Gesundheit aus der Apotheke Gottes‘ hat auch in unserem Schwesternhaus Einkehr gehalten. Die Schwestern waren insbesondere wegen einer Brennesselkur interessiert. Alle fühlten sich danach sehr wohl. Ich selbst hatte einen **Blutdruck** von 220 zu 105. Ich trank sofort zwei Tassen Misteltee. Nach fünf Tagen war mein Blutdruck auf 150 herabgesunken.«


*Frau Antonie L. aus R./Tirol schreibt am 18. September 1980:*

»Durch Ihre Broschüre ‚Gesundheit aus der Apotheke Gottes‘ fühle ich mich Ihnen verbunden. Ich selbst konnte einmal einer Bekannten mit Zwiebel-Umschlägen auf die Nierengegend bei **Nierenbeckenentzündung** helfen. Es war eine so wunderbare Heilung, daß ich es Ihnen schreiben muß. Eine Bekannte hatte sich bei schwerem Dienst in einer Großküche eine Nierenbeckenentzündung geholt. Sie kam mit der Einweisung in die Klinik ganz verzweifelt zu mir, da sie mitten in der Hochsaison die Entlassung befürchtete. Ich hatte am gleichen Tag ein Kilo frische Zwiebeln gekauft und so schnitt ich kurz entschlossen zwei Knollen davon in ½ cm dicke, runde Scheiben, legte sie ohne Wasser oder Fett in eine Pfanne, erwärmte sie beidseitig, gab sie in ein Leinensäckchen, das ich auf die Nierengegend auflegte und mit einem Wolltuch festband. Sie legte sich bei mir hin, ich wiederholte die Zwiebel-Auflage noch zweimal. Sie selbst machte sich über Nacht noch dreimal diese Auflage, jedesmal mit frischen Zwiebeln. Am nächsten Tag wurde ärztlicherseits festgestellt, daß die Entzündung nicht mehr vorhanden wäre. Auf die Frage, was da wohl die Ursache wäre, erzählte die Genesene von den Zwiebel-Auflagen, was jedoch nur ungläubiges, schallendes Gelächter auslöste. Der Arzt bestand deshalb auf die Einweisung, aber auch da stellte man das Abklingen der Entzündung fest. – Wochen später kam die gleiche Bekannte mühsam am Stock zu mir gehumpelt. Sie hatte sich unterwegs den **Fuß verknackst**; es war ihr unmöglich nachhause zu kommen. Die Zwiebel-Auflagen wurden wieder wie im ersten Falle angewendet, und zwar dreimal. Alsdann konnte sie wieder auf den Fuß auftreten und heimgehen. Mit noch drei neuen Auflagen in der Nacht war der Fuß schmerzfrei.«


*Frau K. St. aus J./OÖ. schreibt am 22. September 1980:*

»Ich leide sehr an **Nachtschweiß**. Zwei- bis dreimal mußte ich mich nachts umziehen und auch das Bettzeug wechseln. Ich ließ mir den Tee gegen Nachtschweiß mischen (je 20 g Salbei, Frauenmantel und Zinnkraut) und genau nach vier Tagen war dieses Leiden behoben. Nach einem Jahr begann sich das Leiden wieder bemerkbar zu machen. Ich begann den Tee neuerdings zu trinken, wieder mit bestem Erfolg.«


*Frau Angela B. aus H./NÖ. schreibt am 23. September 1980:*

»Ich möchte mich heute mit einem Dankschreiben bei Ihnen einstellen. Ich hatte seit vorigem Jahr eine **Gelenksentzündung** in beiden Knien. Ich befolgte jede Anordnung des Arztes, Einreibungen, Salben, Schlammbäder und -packungen; als 27 Bestrahlungen nichts halfen, bekam ich Infiltrationen in die Knie. Beim drittenmal wurde mir sehr übel und trotzdem bekam ich noch eine vierte. Da lag ich dann von 11.25 bis 13.45 Uhr beim Arzt auf der Pritsche, schlecht vom Magen, schwindlig, mit Darmkrämpfen und schweren Sehstörungen. – Nun begann ich mit Heilkräutern. Zuerst mit Zinnkrauttee, den ich aber schlecht vertrug. Dann legte ich Beinwurzmehl-Breiumschläge auf, mehr als fünf Wochen hindurch und strich Beinwurzsalbe auf beide Knie. Leider nützte dies auch nicht, ich hatte Tag und Nacht Schmerzen. Dann probierte ich es mit Beinwurzblättern. Ich überbrühte sie mit kochendem Wasser und legte sie, unzerkleinert, so heiß wie möglich auf und deckte mit einem warmen Tuch ab. Und siehe, nach dem vierten Tag verspürte ich endlich eine Besserung, nach acht Wochen waren gottlob alle Schmerzen weg. Ich kann es selbst noch immer nicht glauben, daß die Blätter der Beinwurz solche Schmerzen stillen konnten.«

*Frau Gertraud B. aus Wr. N./NÖ. schreibt am 27. September 1980 an den Verlag W. Ennsthaler:*

»Ich möchte Ihnen aufrichtig danken, daß Sie die Broschüre ‚Gesundheit aus der Apotheke Gottes' neu aufgelegt haben. Ebenso wertvoll sind die Berichte in den ‚Heilerfolgen'. Ich bin 43 Jahre alt und leide unter **erhöhtem Blutdruck** (vor allem der zweite, untere Wert ist meistens über 105 bis 115) und **Kreislaufbeschwerden**. Ich mußte Jahre hindurch gegen den Bluthochdruck Tabletten einnehmen. Ich begann nun Misteltee zu trinken, nebenbei trinke ich Frauenmantel-, Schafgarbe- und Hirtentäscheltee. Der Erfolg nach einer Woche ist der: die **geschwollenen Füße** sind weg, ich habe plötzlich schlanke Fesseln. Vorher hatte ich oft das Gefühl, als hätte ich ein 10-Kilo-Gewicht angehängt. Man kann Frau Treben nur danken für Ihre vielen Opfer, die sie helfend den Menschen bringt. Trotz vieler Gegner hat Frau Treben von Gott den Beweis erhalten, daß alles nach SEINEM Plan geht. Es gehört sicherlich Mut dazu, sich weiterhin mit ihren Erfahrungen einzusetzen.«

*Frau Erika W. aus D./BRD schreibt am 30. September 1980:*

»Heute soll nun endlich einmal wahrgemacht werden, was mir schon lange auf der Seele brannte, nämlich Ihnen vom Herzen zu danken für Ihre guten Ratschläge aus der Broschüre ‚Gesundheit aus der Apotheke Gottes'. Ich bin vor allem dem Herrgott dankbar, daß diese Broschüre durch eine Fügung in meine Hände kam. Die Broschüren wanderten nun zu meinen Bekannten und Freunden in verschiedene Städte und lösten kleine Lawinen aus.

Mein erster Erfolg war die Heilung einer **Warze** unter dem Ballen. Ich konnte vor Schmerzen nicht mehr auftreten und suchte deshalb auf den Rat meiner Fußpflegerin eine Hautärztin auf; sie verätzte die Stelle zweimal mit der Bemerkung, die Sache könnte sich noch vier bis fünf Wochen hinziehen. Zu diesem Zeitpunkt war mein angesetzter Schwedenbitter fertig. Ein damit befeuchteter Wattebausch, öfter erneuert, bewirkte, daß ich nach zwei Tagen wieder laufen konnte. Kein Mensch würde das geglaubt haben, wenn er es nicht mit eigenen Augen gesehen hätte. Wegen meiner **Arthrose** in den **Knien** befolgte ich die Hinweise von ‚Arthrose' nun schon ein dreiviertel Jahr. Es ist ganz offensichtlich, daß die Knie längst nicht mehr so dick sind, sie machen sich eigentlich in der Hauptsache noch beim Aufstehen und zuweilen beim Treppensteigen bemerkbar, sonst habe ich keine Schmerzen. Mein Orthopäde wundert sich ohnehin und sagte bei der letzten Untersuchung ziemlich erstaunt: ‚Gut, gut!'. Er macht zwar meist auch viel mit homöopathischen und Natur-Mitteln, aber der Erfolg war in den 14 Jahren mäßig. Ich will nicht undankbar sein, vielleicht könnte ich ohne die vielen, vielen Spritzen überhaupt nicht mehr gehen. Meinen ‚Geheimtip' werde ich ihm vorerst nicht verraten.

———

Es würde zu weit führen, Ihnen über all die vielen Erfolge rundherum zu berichten. Aber einige markante Heilungen mit den Schwedenbittertropfen, von denen ich immer ein Fläschchen in meiner Handtasche habe, möchte ich Ihnen nicht vorenthalten. Da ist ein achtjähriger Junge, der seit frühester Kindheit unter einer **Schuppenflechte (Psoriasis)** zu leiden hatte. Die Eltern des Kindes, das auch seelisch unter dem scheußlichen Ausschlag auf dem Kopf litt und in der Schule von den Kindern gemieden wurde, bemühten eine große Anzahl von Ärzten. Nichts half! Der letzte, anthroposophische Arzt sagte der Mutter, er könne die Sache bessern, heilen jedoch nicht. So lieh ich ihr die Broschüre ‚Gesundheit aus der Apotheke Gottes'. Sie bereitete die Tees nach ‚Unheilbarer Schuppenflechte', verwendete auch noch die angegebenen Salben und nach kurzer Zeit war die Flechte verschwunden! Gott sei Dank! Als der Arzt das Kind wieder sah, war er sprachlos. Er ließ sich auch das Rezept aus Ihrer Broschüre geben. Die Mutter gibt dem Kind auch weiterhin Schwedenbitter in kleinen Mengen.

———

Des weiteren erlebte ich bei zwei Herren folgendes: der eine hatte einen großen, **entzündeten Leberfleck**, der andere eine **Geschwulst** auf der **Wange**. Beide sollten operiert werden. Beiden gab ich eine kleine Flasche Schwedenbitter und empfahl ihnen, ehe sie zur Operation schritten, doch damit einen Versuch zu machen. Und siehe da, keiner wurde operiert! Diese Hautschäden waren in kürzester Zeit geheilt. Meine Tochter, die nun auch fleißig Ihre Mappe studiert, sagte unlängst: ,Mutti, es gibt keine Zufälle, das ist alles gottgewollt!' Und das glaube ich auch!«

*Frau Franzi D. aus G./OÖ. schreibt am 1. Oktober 1980:*

»Ich möchte Ihnen recht herzlich Dank für all Ihre guten Ratschläge sagen. Wie oft hat mir die Broschüre ,Gesundheit aus der Apotheke Gottes' bei meinen vielen Wehwehchen schon geholfen und ich weiß, daß ich immer wieder Hilfe in dieser Broschüre finde. Vor allem haben der Kalmustee und die Zinnkraut-Dunstumschläge bei meiner **Bauchspeicheldrüsen-Erkrankung**, die mir viele Beschwerden verursachte, Wunder gewirkt.«

*Frau Ilse D. aus L./OÖ. schreibt am 2. Oktober 1980:*

»Ich muß mich heute für die Hilfe bedanken, die Sie uns angedeihen ließen. Sie waren die Lebensretterin meiner kleinen Nichte, die mit einem schweren **Leberschaden** zur Welt kam. Sie bekam im Alter von vier Wochen **Gelbsucht** und sollte ins Krankenhaus. Ihr kleines Brüderl ist ein Jahr vorher im Alter von zwei Monaten, ebenfalls mit Gelbsucht, ins Krankenhaus gekommen und dort gestorben. Wir waren in Sorge, ob das Schicksal ihres Bruders sich bei unserer kleinen Sabrina wiederholen könnte. Wir begannen an einem Donnerstag mit Ihren Ratschlägen, Ringelblumentee ins Fläschchen (eineinhalb Tassen), die Milchmenge um diese Teemenge verringert, strichen das Baucherl, besonders in der Lebergegend, mit Kamillenöl ein und machten Brennesselbäder, um eine bessere Durchblutung der Leber zu erreichen. Wir haben sie dadurch dem sicheren Tod entrissen, denn am Montag, als das Kind ins Krankenhaus gebracht wurde, stellten die Ärzte eine so gute Besserung fest, daß man das kleine Mädchen in häusliche Pflege entließ. Heute, nach einigen Monaten, blüht und gedeiht die Kleine und bekommt natürlich immer noch zur Stützung etwas Ringelblumentee, da Sie ja sagten, man müsse dies mindestens im ersten Lebensjahr beibehalten.

Als zweites möchte ich meinen Mann erwähnen, der nach jahrzehntelangen **Darmbeschwerden** langsam eine normale Verdauung bekommt. Er trinkt täglich eine Mischung aus Ringelblumen-, Schafgarben-, Brennessel- und Kamillentee und nimmt außerdem die Schwedenbittertropfen.

Zuletzt möchte ich noch erwähnen, daß auch meine Töchter dank Ihrer Schwedenbittertropfen langsam die **Akne** im Gesicht verlieren.«

*Frau Lucia H. aus W./Mürztal schreibt am 3. Oktober 1980:*

»Ich habe durch Ihre Broschüre ,Gesundheit aus der Apotheke Gottes' schon viele gute Erfolge erlebt. In Langenwang/Stmk. ist ein Patient, der **Granatsplitter im Bein** hatte. Sie sind herausgeeitert und er kann wieder gehen. Er trank Frauenmanteltee.«

*Frau Hilda R. aus B./BRD schreibt am 5. Oktober 1980:*

»Ich möchte heute ein Loblied auf die Schwedenkräuter anstimmen! Unter anderem setzte ich mir Schwedenbitter an und zwar so wenig, daß in einem weiten Fläschchen bei Neigung nur etwas Flüssigkeit zu sehen war. Ich mischte diese Flüssigkeit nach einiger Zeit unter Lanolincreme, was eine gute Heilsalbe ergab. Vergangenes Jahr hatte ich mir beide Kieferknochen erkältet. Ich sollte vom Orthopäden aus zuerst einmal den Zahnarzt aufsuchen, um festzustellen, ob auch die Zähne richtig aufeinanderpassen. Ich begann die Kieferknochen mit Schwedenbittertropfen einzureiben und mit Schwedensalbe einzustreichen und siehe da, nach einigen Wochen waren meine **Kiefer** wieder in Ordnung. Nun reibe ich mir damit alles ein, wo es zwickt oder knackst.«

*Frau Margarete K. aus M./BRD schreibt am 5. Oktober 1980:*

»Dankbar bin ich einer Bekannten, die mich auf Ihre Broschüre aufmerksam machte. So konnte ich mit Zinnkrauttee und Zinnkraut-Dunstumschlägen bei beginnender **Nierenvergiftung** – die Kranke konnte zeitweise sogar nicht mehr verständlich sprechen – helfen. Bei meiner 82-jährigen Mutter senkte der Frauenmanteltee das **Fieber**, die Hirtentäschel-Essenz stärkte ihre von Wassertabletten **geschwächten Glieder**. Meiner Mutter wurde durch Punktion Wasser aus dem Leib entfernt.«

*Frau Erna K. aus Sch./Ö. schreibt am 16. Oktober 1980:*

»Ich hatte vor kurzer Zeit an beiden Händen einen **Ausschlag**. Mit der vom Arzt verschriebenen Salbe wurde es viel ärger. Da las ich in der Broschüre ‚Gesundheit aus der Apotheke Gottes‘, man soll die Hände in Käsepappeltee baden. In einer Woche war der Ausschlag spurlos verschwunden.«

*Frau Eva P. aus St./BRD schreibt am 17. Oktober 1980:*

»Mein Mann sagt oftmals: ‚Wäre Frau Treben nicht gewesen, könntest du mich auf dem Friedhof besuchen!‘ Er hatte **Magenkrebs**. Die Hinweise in ihrer Broschüre ‚Gesundheit aus der Apotheke Gottes‘ hat er befolgt und heute ist er gesund. Seit ich Ihre Broschüre habe, helfe ich, wo ich kann. Und wievielen Menschen durfte ich schon helfen! Der schlimmste Fall war **Nierenschrumpfung** – hoffnungslos – zweimal in der Woche Dialyse, eine Niere fehlt. Heute ist diese Frau durch Labkraut, Gelbe Taubnessel und Goldrute gesund! Ein Mann mit **Kehlkopfkrebs** – gesund. Ein geistlicher Würdenträger litt an viel zu **hohem Blutdruck** und einer **Nieren**sache. Durch Mistel hat sich der Blutdruck normalisiert, die Nieren sind ebenfalls besser geworden. Mein Mann und ich trinken fleißig Tee nach Ihren Anweisungen aus der Broschüre und der Schwedenbitter geht überhaupt nicht mehr aus. Meine einst **fettige Gesichtshaut** wurde plötzlich trocken. Die gute Ringelblumensalbe brachte das in Ordnung.«

*Frau Therese B. aus M./BRD schreibt am 20. Oktober 1980:*

»Mein Mann bekam von der Stirn bis zu den Augen eine **Gürtelrose**. Er hatte furchtbare Schmerzen; die Augenärztin meinte, es wäre eine schlimme Sache, es würde ca. vier bis fünf Wochen dauern, auch könnte mein Mann blind werden. Das war ein ganz schöner Schrecken für uns. Das war an einem Samstag. Den Tee gegen die Gürtelrose aus Ihrer Broschüre ‚Gesundheit aus der Apotheke Gottes‘ habe ich mir gleich in einem Kräuterhaus besorgt, am Sonntag holten wir auf dem Lande die Hauswurz. Die Behandlung konnte beginnen und siehe da: nach acht Tagen war von der Gürtelrose nichts mehr zu spüren, die Schmerzen waren bei der ersten Behandlung schon weg, nur noch kleine, rote Flecken waren zu sehen. Wir haben diesen Erfolg allen unseren Bekannten erzählt. Wir bedanken uns aus ganzem Herzen. Es war sehr schlimm, denn mein Mann hat zwei Star- und zwei Netzhautablösungsoperationen hinter sich. Wir trinken Brennesseltee und nehmen täglich Schwedenbittertropfen. Mein Vertrauen zu den Kräutern ist so groß, daß ich vor keiner Krankheit mehr Angst habe.«

*Frau Hella G. aus E./BRD schreibt am 23. Oktober 1980:*

»Dem Herrn sei Dank für die Bücher, die Sie durch SEINE Liebe und Eingebung für uns Menschen haben drucken lassen. Vielen Menschen, mancher Schwester und manchem geistlichen Bruder habe ich dadurch helfen können. Durch Ringelblumensalbe hat ein Pater seinen **Fußpilz** verloren, wofür ich Ihnen im Namen Christus danke.«

*Frau Elisabeth M. aus B. schreibt am 15. November 1980:*

»Ich möchte Ihnen für Ihre Broschüre ‚Gesundheit aus der Apotheke Gottes‘ danken, über die ich mich erfreue und ‚erlabe‘ und schon öfters weiterempfohlen habe. So schrieb mir meine in Kalifornien lebende Tochter von einer 17-jährigen, die an **Leukämie** erkrankt ist. Ich schickte sofort das Rezept aus Ihrer Broschüre und die Teemischung. Nun bekomme ich von meiner Tochter die Nachricht, daß es dem Mädchen besser gehen soll.«

*Frau J. aus G./BRD schreibt am 26. November 1980:*

»Heute quillt mein Herz über voll Freude und Dankbarkeit. Ich kann gar nicht so schnell alle Gedanken ordnen, die mich beflügeln. Im Dezember wird es ein Jahr, daß mein ältester Sohn, 17 Jahre alt, an schrecklichen **Kopfschmerzen** zu leiden begann. Diese steigerten sich bis zum **Erbrechen**. Da er plötzlich nicht mehr aufstehen konnte, mußten wir den Arzt holen. Zu dieser Zeit waren viele Menschen grippekrank und der Arzt vermutete eine Darmgrippe. Am ersten Weihnachtsfeiertag, wir wollten gerade zur Kirche gehen, hörte ich meinen Jungen herzzerreißend weinen. Er hatte so arge Schmerzen, sein Kopf wäre zum Zerspringen angespannt, am liebsten würde er sterben. Vom herbeigeholten Arzt wurde ein Gleichgewichtstest gemacht, er vermutete eine Anomalie im Kleinhirn. Er wurde in die Neurochirurgie nach G. eingeliefert, der Befund ergab einen großen Tumor, der wie eine Landkarte das ganze Kleinhirn überzog. Mein Sohn sagte: ,Ich bin so froh, daß dies alles zu Weihnachten passiert, was müßte ich denken, wenn jetzt Allerheiligen wäre!' Soviel und so inbrünstig habe ich mein ganzes Leben nicht gebetet wie in dieser Zeit. Auch mein Sohn betete mit großem Vertrauen. Am 2. Jänner wurde die Operation durchgeführt, es schien alles gut zu verlaufen. Nach zwei Tagen kam ein Rückschlag, der Professor meinte, wir müssen auf das Schlimmste gefaßt sein. Wieder beteten wir und ich spürte dabei mit aller Kraft, unser Sohn würde gesund werden. Zur Nachbehandlung und Kobaltbestrahlung kam mein Sohn nach Kaufbeuren. Hier hatte er das Laufen wieder erlernt und wir durften mit ihm kleine Spaziergänge außerhalb des Krankenhauses machen. Er wollte in der Fußgängerzone Bücher kaufen und brachte mir aus einer Buchhandlung Ihre Broschüre ,Gesundheit aus der Apotheke Gottes'. Ich kenne alle Kräuter, nur wußte ich nicht um ihre Heilanwendung. Wir wohnen in einem Gebiet, das ideale Sammelbedingungen schafft. Nach drei Wochen bekam er einen zweiwöchigen Krankenhausurlaub. Diesen benützte ich gleich zu einer Brennesselkur; die ersten Triebe kamen schon aus der Erde. Vor Ostern, eine Woche früher als festgelegt, durfte er nach Hause. Wir wurden aufmerksam gemacht, daß er ohne Begleitung niemals ausgehen dürfe, da Bewußtlosigkeit auftreten könnte. Gott sei Dank kam es nicht dazu. Ende Mai wurde er gesund geschrieben, durfte seine Arbeit bei der Bundespost aufnehmen. Obwohl er gut erholt war und zugenommen hatte, schickte ihn sein Chef noch zwei Wochen in Urlaub. In diesen zwei Wochen wurde er müde und schlapp, hatte **keinen Stuhlgang** und erbrach das Essen. Als wir ihn zum Arzt brachten, war er von oben bis unten orangegelb, die **Leber erhärtet** und alles wies auf eine **infektiöse Gelbsucht** hin. Der Arzt meinte, dies hätte nicht mehr kommen dürfen, es sei ein schwerer Fall. Nun holte ich Ihr Buch zu Hilfe. Da wir im Wald keinen Bärlapp fanden, kaufte ich getrockneten. Schwedenbitter hatte ich mir sofort nach Ihrem Buch angesetzt, also bereits fertig im Haus. Ich begann gleich mit dem Kalmuswurzeltee, sechs Schluck pro Tag, nebenbei Ringelblumen-, Schafgarben- und Brennnesseltee, Fußbäder mit Brennessel, Schafgarbe und Ringelblume. Ich werkelte den ganzen Tag. Er ließ alles mit sich geschehen, nur um nicht wieder ins Krankenhaus zu müssen. Ich habe alle Vorsichtsmaßnahmen des Arztes eingehalten, er wurde isoliert gehalten. Ich hätte vor Freude weinen mögen, als sich am zweiten Tag Ihrer Behandlungsmethode der Stuhlgang wieder einstellte und täglich pünktlich erfolgte. Nach drei Tagen kam der große Hunger, Hunger und wieder Hunger. Ich mußte gewaltsam bremsen und auf viele kleine Mahlzeiten bestehen. Unser Hausarzt war bei seinem Besuch so überrascht, daß er seine Frau, eine Kinderärztin, holte. Das gleiche Erstaunen erlebten wir beim Heilpraktiker, der meinen Sohn vor einer Woche aufgegeben hatte. Der sagte wörtlich zu mir: ,Ich übertreibe nicht! An Eurem Sohn ist ein Wunder geschehen!' Nach einem Vierteljahr waren wir das erstemal auf der Neurochirurgie in G. zur Nachuntersuchung, diese ist sehr gut ausgefallen, vor zwei Wochen das zweitemal. Die Computeraufnahmen waren sehr gut. Jetzt brauchen wir erst wieder in einem Jahr kommen. Mein Sohn trinkt täglich einen bis anderthalb Liter Tee, den stelle ich meist nach ein paar Wochen anders zusammen, einmal Zinnkraut, Ehrenpreis, Ringelblume, dann wieder Brennessel, Zitronenmelisse, Schafgarbe. Vor kurzer Zeit wurde mein Sohn dienstlich an einen anderen Ausbildungsbereich verlegt, der sehr viel Kraft und doppelte Arbeitszeit verlangte. Er war von morgens 7.30 Uhr bis abends 18.30 Uhr außer Haus. Nun stellten sich Störungen ein, die mich beunruhigten. Wir wurden von unserem Hausarzt auf die Neurochirurgie nach G. geschickt, die jedoch nur Spannungen in der Nackenmuskulatur feststellte und hinwies, daß er noch nicht zu so schwerer Arbeit eingeteilt werden kann. Dies gelang uns auch sofort. Nun massiere ich ihn mit Johanniskrautöl und es bekommt ihm gut. Mein Sohn trinkt den Tee übrigens sehr gern und es wird ihm nicht zuviel. Die Ärzte in G. staunen über seine sehr gute Verfassung. Mein Sohn hat während seiner ganzen Krankheit seine Hobbys nicht vernachlässigt. Manchmal mußte ich lachen, wenn er am Bettrand saß, sein Fußbad nahm, dabei Gitarre spielte und in den höchsten Tönen sang.

Ich möchte mich nun als liebende Mutter bei Ihnen recht herzlich bedanken, daß Sie sich die Mühe gemacht haben, Ihre Kenntnisse und Erfahrungen in Ihrem Buch für andere Menschen und besonders für unseren Fall weitergegeben haben. Ich gehe soweit, zu behaupten, daß ich meinen ältesten Sohn heute nicht mehr hätte.«

*Frau Rosa M. aus G./NÖ. schreibt am 3. Dezember 1980:*

»Im Frühjahr erfuhr ich von Ihnen, daß Ehrenpreistee gegen **hohen Cholesterin**-Spiegel eingesetzt werden muß. Den Tee habe ich ein halbes Jahr getrunken und zu meiner großen Freude sank der Spiegel von 313 auf 265 ab. Ich kann Ihnen nicht genug für Ihre Hilfe danken, zumal es ärztlicherseits zu keinem positiven Erfolg kam.«

*Frau Gertrud B. aus Wr. N./NÖ. schreibt am 4. Dezember 1980:*

»Ich möchte Ihnen heute eine Erfahrung mitteilen, damit Sie notfalls auch anderen dazu raten können. Ich leide mit meinen 43 Jahren seit längerer Zeit an **Bluthochdruck**. Es wurde auch ein linksseitiger **Herzmuskelschaden**, vermutlich durch mein Übergewicht von 25 kg, festgestellt. Vermutlich habe ich den Bluthochdruck schon seit gut zwei Jahren, ohne es gewußt zu haben, hielt die Beschwerden für Migräne und Kreislaufstörungen. Mit gekauftem Misteltee (man weiß ja nicht, ob dieser in der heil-kräftigen Zeit, wie Sie in der Broschüre ‚Gesundheit aus der Apotheke Gottes' angeben, gepflückt wird) hat sich der Blutdruck nicht gesenkt. Vielmehr halfen die Kreislauf-Kombikapseln auf homöopathischer Basis, welche aus Knoblauch, Mistel und Weißdorn bestehen und in Drogerien zu haben sind. Dreimal täglich eine solche Kapsel, unmittelbar vor der Mahlzeit eingenommen, hilft sehr rasch.«

*Frau Theresia M. aus Sch./NÖ. schreibt am 10. Dezember 1980:*

»Das von Ihnen verfaßte Kräuterbuch hat mir schon viel geholfen. Anfang des heurigen Jahres bekam ich plötzlich **Zucker**, ich nahm 14 kg ab; der Arzt verordnete strenge Diät, nebenbei begann ich nach Ihrem Buch Kräuter zu sammeln und trinke jetzt täglich morgens, nüchtern und abends eine Tasse Schafgarben- und Zinnkrauttee. Nun verlor ich mit der Zeit den Zucker, auch die **Kreuzschmerzen** sind weg. – Ich bekam auch einen **Kropf**, der an der Luftröhre anliegt, mir jedoch wenig Beschwerden macht. Durch Labkrauttee-Trinken ist er zurückgegangen. Vielen Dank für Ihre Ratschläge.«

*Frau Gretl W. aus B./NÖ. schreibt am 11. Dezember 1980:*

»Mein Mann hatte dauernd **aufgesprungene Fersen** mit argen Schmerzen. Er konnte sie mit Fußbädern, in die er Schwedenbittertropfen hineingab, ausheilen. Nach dem Fußbad strich er die Fersen mit selbstgemachter Ringelblumensalbe ein; nun hat er keine Beschwerden mehr.«

*Herr Karl v. W.-Z. aus W./BRD schreibt am 11. Dezember 1980:*

»Ich zitiere aus einem Brief von einer in der DDR wohnenden Bekannten: Das Buch ‚Gesundheit aus der Apotheke Gottes', das Sie uns mitgegeben haben, hat uns und anderen geholfen. Mein Mann hat vier Zinnkraut-Vollbäder genommen und sein **Rheuma** verloren. Unser Pfarrer ist kaum 50 Jahre alt und schon invalid geschrieben. Ich habe ihm das Buch geliehen, er war so begeistert und meinte, da werde ich wohl auch noch einmal gesund. Auch eine bekannte Frau hat Zinnkrautbäder genommen und ebenfalls das Rheuma verloren. Allmählich erfährt hier das ganze Dorf von dem Buch ‚Gesundheit aus der Apotheke Gottes'. Im kommenden Jahr werden wir fleißig Kräuter sammeln. Teetrinken ist wirklich eine gute Sache.«

*Frau Elfriede M. aus G./OÖ. schreibt am 15. Dezember 1980:*

»Durch Ihren guten Rat, mit Labkraut zu gurgeln, ist meine **Entzündung und Wucherung im Unterkiefer** zum Stillstand gekommen, wofür ich Ihnen herzlich danke.«

*Frau Gertrud J. aus B./Schweiz schreibt am 15. Dezember 1980:*

»Eine 70-jährige Frau hatte seit Jahren eine **Knie-Arthrose** und war in ständiger Behandlung. Sie bekam Cortison-Spritzen und -Pillen, die jedoch nicht halfen. Als sie mir ihr Leid klagte, verwies ich sie auf Ihr Tonband und Ihre Broschüre ‚Gesundheit aus der Apotheke Gottes‘ über Arthrose. Wir haben gemeinsam Zinnkraut und Brennesseln geholt; dieser Tee hat, gemeinsam mit Schwedenbitter, alle Beschwerden genommen. Der Arzt fragte erstaunt, was sie denn getan hätte und sie hat die Wahrheit nicht verschwiegen. – Sie hat nun einer jungen Bäuerin diese Heilkur angeraten. Diese litt unter starken **Blähungen, Verstopfungen** und **Druck auf die Schilddrüse**. Sie ist dank der Schwedenbittertropfen und frischen Brennesseln ebenfalls geheilt. ───

Eine mit Arbeit überhäufte und seelisch überbelastete Nachbarin, 60 Jahre alt, hatte vor ca. drei Wochen einen völligen **Kreislaufzusammenbruch** und über 200 **Blutdruck**. In wenigen Tagen war der Blutdruck normal und der Kreislauf beruhigt. Ich hatte durch Waldarbeiter von gefällten Tannen frische Mistel in großen Mengen erhalten und konnte sie gleich bei der Kranken anwenden. Ich mache selbst um diese Zeit, wo die Mistel heilkräftig wirkt, jedes Jahr eine Kur. Ich trinke morgens, nüchtern eine Tasse Misteltee und spüre, wie mein Denken klar wird und wie ich mich viel frischer fühle. Auch meinem Bruder tut die Mistel sehr gut.«

*Frau Rosemarie M. aus W./BRD schreibt am 15. Dezember 1980:*

»Ich konnte am eigenen Körper Erfolge mit Heilkräutern erfahren. Mit dem Schwedenbitter konnte ich meine **Magenschleimhautentzündung** ausheilen. Eine sehr schmerzhafte **Handgelenksentzündung**, an der ich ein ganzes Jahr laborierte, war mit zwei Beinwurzmehl-Breiumschlägen vollkommen verschwunden. – Mein Bruder, der beim Schweißen zusah, zog sich eine schmerzhafte **Augenentzündung** zu. Ein Schwedenkräuter-Umschlag nahm ihm bereits nach einer Stunde alle Schmerzen.«

*Herr Alois W. aus N./BRD schreibt am 15. Dezember 1980:*

»Ein Dankeschön aus der Pfalz! Wir haben uns den Tee gegen Schuppenflechte besorgt und nach drei Tagen waren die beunruhigenden **roten Flecken** verschwunden. Inzwischen haben wir einmal beim Essen eine Probe mit nur 20 g Wurst gemacht; die Flecken kamen wieder zum Vorschein. Nun wissen wir, was wir tun und nicht tun sollen!«

*Herr Pfarrer Alfred R. aus G. schreibt am 15. Dezember 1980:*

»Vom Vater meiner Nachbarin habe ich Ihnen schon mehrmals berichtet. Er trank nun regelmäßig Goldruten-, Labkraut- und Zinnkrauttee und ist dadurch frei von allen **Blasengeschwüren und Pilzen**, worüber sich der alte Mann sehr freut. Eine Operation ist nicht mehr nötig. ───

Unsere Ringelblumen sind heuer prächtig gediehen, sie wollten mit dem Blühen bis zum Schneefall nicht aufhören. Meine Haushälterin reibt täglich am Abend ihre Füße mit der Ringelblumensalbe ein und hat seither nachts keine **Krämpfe** mehr. Meiner Ansicht nach kommen die Krämpfe von den Nieren, die die Säure der Speisen nicht mehr bewältigen. Meine Haushälterin meinte nun, man müsse wegen der Vitamine fleißig grünen Salat essen. Wenn ich mitesse, muß ich es bald darnach jedesmal mit einer Art Blasenkrampf büßen und mit **Schuppenflechte**. Nun stellen wir auf gekochte Salate um, gehen also von den rohen ab. Möhren, Sellerie und Rote Bete (Rote Rübe) sind sicherlich in gekochtem Zustand als Salate bekömmlicher. Wie lang man doch mitunter braucht, bis man seinen Organismus begreift.«

*Frau Helene F. aus M./BRD schreibt am 18. Dezember 1980:*

»Ein Lob für Ihr Buch ‚Gesundheit aus der Apotheke Gottes‘; es findet überall großen Anklang. Meine Freundin, welche unter anderem an viel zu **hohen Blutfettwerten** (**Cholesterin** im Blut) litt, hat der Ehrenpreistee, den sie vier Wochen lang getrunken hat, sehr geholfen. Sie ist über die jetzigen Normalwerte überglücklich. Bei ihr zu Gast war eine Dame mit viel zu **hohem Blutdruck**. Sie trank sieben Tage morgens und abends je eine Tasse Ehrenpreistee mit und ihr Blutdruck ist von 200 auf 140 gesunken.«

*Frau Petra B. aus M./BRD schreibt am 20. Dezember 1980:*

»Die ganze Geschichte begann mit dem fünfzigsten Geburtstag meines Vaters, im Dezember 1978. Er bekam von einem Freund Ihre Broschüre ‚Gesundheit aus der Apotheke Gottes‘ mit dem Hinweis: Sag nicht ‚schön, schön‘ und lege es dann achtlos zur Seite, lese wirklich mal darin! Doch da mein Vater selbständiger Gärtnermeister ist und sehr viel Arbeit hat, fand er die Zeit nicht und gab diese Broschüre seiner 78-jährigen Mutter zum Lesen. Die tat dies mit Eifer und entwickelte einen ausgesprochenen Enthusiasmus insbesondere für Brennessel und Löwenzahn. Da wurde mein Vater neugierig und begann sich in Ihre Broschüre zu vertiefen. Die gleiche Begeisterung entstand, Kräuter wurden angepflanzt und verwertet. Als er im Jänner 1980 dann auch noch bei seiner Schrot-Kur eine Österreicherin kennenlernte, die auf den Schwedenbitter schwört, war die Begeisterung kaum mehr zu bremsen. Diese gute Frau schickte uns aus Österreich die Schwedenkräuter. Mein Vater kaufte drei Ihrer Broschüren, schenkte eine seiner Mutter und je eine meiner Schwester und mir. Seit diesem Zeitpunkt holen wir bei jedem Wehwehchen Ihren Rat, abgesehen davon, daß wir so und so nie Tabletten nahmen. Insbesondere der Schwedenbitter hat uns schon oft und schnell von **Schnittwunden, Vereiterungen** und **Kopfschmerzen** befreit. Unzählige Sorten von Tees unterstützen die Wirkung. Selbst bei der **Fleischvergiftung**, die mein Vater vor ein paar Wochen hatte, bekämpften wir das Problem in verhältnismäßig kurzer Zeit fast ausschließlich mit Schwedenbitter – außen und innen.«

*Herr Franz H. aus St./OÖ. schreibt am 22. Dezember 1980:*

»Vor allem möchte ich Ihnen danken, daß Sie Ihr Wissen um die Kräuterheilkunde der Allgemeinheit so großzügig zur Verfügung gestellt haben, einerseits als vorbeugend, andererseits als heilend. Ich hatte **Herzrhythmusstörungen**; mit Misteltee konnte ich dieses Leiden restlos beseitigen. Auch will ich noch betonen, daß Brennessel und Zinnkraut hervorragende Heilmittel sind.«

*Herr und Frau K. aus Australien schreiben am 22. Dezember 1980:*

»Wir wollen Ihnen von der anderen Seite der Erde herzlichen Dank zurufen! Wir sind Leute, 73 und 75 Jahre alt, aber beide noch rege und soweit gesund. Meine Frau hat seit über 30 Jahren ein **Gallenleiden** und sich immer vor einer Operation gescheut. Auch ist ihr Herz nicht ganz intakt, sodaß sich Angstzustände bemerkbar machen. Anfang des Jahres war es mit ihrer Galle so schlimm, Schmerzen, Übelkeit, Frösteln, sodaß sie sich sagte, jetzt müsse sie zur Operation. Da bekamen wir durch Gottes Fügung Ihre Broschüre ‚Gesundheit aus der Apotheke Gottes‘ in die Hände. Sofort ließen wir uns durch Luftpost Schwedenkräuter und Brennessel schicken. Sie trank nun fleißig Tee davon und schon nach einigen Wochen verspürte sie eine Besserung, nach einigen Monaten bis zum heutigen Tag sind alle Beschwerden verschwunden. Ist das nicht ein Dankeschön wert? Meine Frau sagt immer, wie schade, daß ich Frau Treben nicht einmal sprechen kann, sie würde mir sicher weiter helfen beim **Grauen Star.** 1978 waren wir in Deutschland und haben auch Freunde in Steyr besucht. Wie nahe waren wir da bei Ihnen! Wir ließen uns weitere Tees (Mistel, Schöllkraut und Schafgarbe) aus Europa schicken. Wenn die politische Lage entspannter wäre, würden wir uns im nächsten Jahr nochmals aufmachen und eine Reise nach Europa unternehmen. Wir lassen uns aber vom Vater der Liebe lenken. Dann möchten wir wohl auch zu Ihnen kommen. Wir sind aus Hamburg und leben seit 15 Jahren in Australien, im Land der Sonne. Es gefällt uns hier gut, nur mit den Kräutern sieht es schlecht aus.«

*Frau Henny W. aus Ei./DDR schreibt am 2. Jänner 1981:*

»Ausgang des Sommers brachte ich meinen Garten in Ordnung und entfernte Massen von Brennesseln. Ein ehemaliger Angestellter von uns sah das und sagte mir, er habe gerade durch Sie von der Heilwirkung der Brennessel erfahren. Ich war in einer denkbar schlechten gesundheitlichen Verfassung. Vor einigen Jahren mußte ich mich wegen einer Krebserkrankung einer Totaloperation unterziehen. Ich bin nach der Operation zu keiner Nachuntersuchung gegangen, ich hatte Angst vor etwaigen Bestrahlungen. Aber so recht gesund fühlte ich mich auch nicht. Dazu kam noch, daß ich an sehr schmerzhaften **Unterschenkelknoten** litt, die aber von einer Krankheit herrührten, die 40 Jahre zurückliegt.

Nun habe ich sehr aufmerksam Ihre Ausführung über die Brennessel gelesen und habe sofort dreimal am Tag frischen Brennesseltee getrunken. Außerdem habe ich meine Beine jeden Abend in einem Sud aus Brennesselwurzeln gebadet. Nach drei Wochen war ich ein völlig anderer Mensch. Mein Aussehen hatte sich zum Guten verändert, daß es allen Menschen, die mich kannten, auffiel. Aber das Wertvollste: meine Beine sind seither ohne Schmerzen und völlig glatt, die ehemals **geschwollenen Füße** passen jetzt in eine kleinere Schuhgröße. Am **Oberschenkel** und unter dem rechten **Arm** hatte ich je eine hühnereigroße **Geschwulst**. Auch diese beiden Stellen haben sich in nichts aufgelöst. Ich kann Ihnen gar nicht sagen, wie voll des Dankes ich Ihnen gegenüber bin.«

*Frau St. aus K./BRD schreibt am 6. Jänner 1981:*

»Wir haben, seit wir Ihr Buch besitzen, über 50 Bücher an Bekannte und Verwandte weitergegeben und einige davon haben schon Heilerfolge erlebt. Ein Mann aus Marburg hat bei der ersten Einreibung mit Schwedenbitter am nächsten Tag keine **Schmerzen in der Schulter** mehr gehabt. Wir rieten ihm jedoch, er solle noch etwas längere Zeit hindurch sich damit einreiben.

Wir haben mit unserem Sohn aus Berlin jetzt einen großen Heilerfolg erlebt. Unser Sohn ist 25 Jahre alt und kam über Weihnachten krank nach Hause. Er hatte beim **Urinieren** furchtbare **Schmerzen**. Er war schon ganz verzweifelt; sein Hausarzt in Berlin gab ihm dagegen gute Tabletten, die keinen Erfolg brachten. Wir machten ihm zwei Zinnkraut-Sitzbäder; in der Nacht nach dem ersten Sitzbad mußte er alle zwei Stunden unter furchtbaren Schmerzen Wasser lassen, nach dem zweiten Sitzbad konnte er bereits durchschlafen und hatte nur noch wenig Schmerzen. Dann wurde es immer besser, nach acht Tagen war er ganz schmerzfrei. Er hat neben den Sitzbädern gleichzeitig morgens und abends eine Tasse Zinnkrauttee mit einem Eßlöffel Schwedenbitter getrunken. Wir danken Ihnen ganz herzlich für dieses Kräuterbuch. Der Hausarzt unseres Sohnes in Berlin hat nicht daran gezweifelt, daß durch die Bäder die Heilung eintrat.«

*Herr Wolfgang E. aus L./BRD schreibt am 7. Jänner 1981:*

»Aus dem Buch ‚Gesundheit aus der Apotheke Gottes' habe ich schon viele Anregungen schöpfen können. Ich hatte zum Beispiel ein **Geschwür unter der Zunge**, welches schrecklich schmerzte. Ich probierte alles mögliche aus – nichts half. Odermennig- und Labkrauttee halfen. Binnen drei Tagen war das Geschwür weg.«

*Frau Grete E. aus W. schreibt am 12. Jänner 1981:*

»Vorerst ein herzliches Vergeltsgott für die Veröffentlichung der großartigen Wirkung des Kleinblütigen Weidenröschens. Mein Mann, 75 Jahre alt, leidet an einer noch nicht sehr fortgeschrittenen **Prostata-Hypertrophie**. Dank dieses Tees, den er nach Ihren Empfehlungen trinkt – eine Tasse morgens nüchtern, eine Tasse eine Viertelstunde vor dem Abendessen – hat sich sein Befinden bedeutend gebessert. Das Brennen hat aufgehört und der Harn fließt reichlich.«

*Frau Lilly E. aus W./Kärnten schreibt am 15. Jänner 1981:*

»Kurz die Tatsachen: Mein Vater war 88 Jahre alt, als man vergangenes Jahr (April – Mai) ein großes **Prostatageschwür** feststellte und zu einer Operation riet. Auf Grund seines hohen Alters schlug der behandelnde Arzt zunächst eine Behandlung des Kreislaufes vor, um ihn so für die bevorstehende Operation vorzubereiten. Er erhielt einen Dauerkatheter, nachdem der Arzt ihm die übermäßig gefüllte Blase entleert hatte. Der Katheterwechsel mußte alle 14 Tage stattfinden und war für ihn sehr schmerzhaft. Er mußte von seinem Wohnort ungefähr 20 km zum Facharzt in die nächste Stadt gebracht werden. Ich selbst lag zu dieser Zeit mit einer Virus-Infektion im Krankenhaus, habe aber sofort Tee vom Kleinblütigen Weidenröschen vorgeschlagen, das von Kärnten geschickt wurde. Diesen Vorschlag konnte ich auf Grund Ihrer beiden Bücher machen. So las ich besonders in Ihrer neuen Ausgabe die vielen Beispiele der Prostatabehandlung mit diesem Tee und ermunterte meinen Vater, trotz Katheter, soviel wie möglich Tee zu trinken, um vielleicht damit die Operation noch ein wenig hinauszuzögern. Der Arzt blieb nach wie vor dabei, er werde um eine Operation nicht herumkommen, da die Geschwulst zu groß sei.

Ende August war ich soweit hergestellt, daß ich meinen Vater besuchen konnte und mit ihm zum Arzt zwecks Katheterwechsel fuhr. Vater und ich erörterten den Versuch zu riskieren, eine Zeitlang ohne Katheter zu probieren (der Weidenröschentee war ja nun seit Mai t ä g l i c h getrunken worden), sehr zum Ärger des behandelnden Arztes, der den letzten Katheterwechsel vorgesehen und das Bett für die Operation am 4. September 1980 vorbestellt hatte. Mit einen zweimonatigem Sanatoriumsaufenthalt mußten wir rechnen. Mein Vater blieb dabei, versuchen zu wollen, ob eine normale Blasenentleerung ohne Katheter möglich sei. Auch ich sprach in diesem Sinne mit dem Arzt, worauf derselbe sehr ungehalten erklärte: ‚Was Sie da vorhaben ist unmöglich und nach menschlichem Ermessen – und ich glaube kaum, daß es anders kommen könnte – wird dem Patienten binnen 36 Stunden die Blase platzen. Nun haben wir ihn monatelang auf die Operation vorbereitet und das machen Sie, mir nichts, dir nichts, mit diesem unverantwortlichen Versuch zunichte. Tun Sie, was Sie wollen!'

Nun, es geschah, wie wir es vorhatten. Der Katheter wurde entfernt. Es folgten ein paar sehr unangenehme Tage mit einem Urinrückstau in der Blase, der mit warmen, feuchten Wickeln behoben werden konnte. Vier Tage später saß mein Vater mit mir im Zug Richtung Kärnten. Wir waren 22 Stunden unterwegs, dabei zweimal umsteigen. Er überstand trotz seiner 88 Jahre alles glänzend. Vom 4. September, der Tag, an dem er operiert werden sollte, bis zum 13. November war er hier bei uns in Kärnten. Ohne Katheterwechsel – ohne Arzt – nur täglich Weidenröschentee – fühlte sich Vater immer besser. Inzwischen – am 20. Oktober erlebte er hier seinen 89. Geburtstag. Wenn er zuerst auch nur kleine Wege am Hof machte, kam es nach ca. drei Wochen Aufenthalt zu ausgedehnten Spaziergängen – allein, ohne Hilfe – ohne Stock! Bald machte er einen täglichen Spaziergang von einem Kilometer und wenn er sich besonders unternehmungslustig fühlte, sogar zweimal am Tag. Die Bestleistung waren zwei Tage, da schaffte er sogar dreimal diesen Weg von einem Kilometer!

Nachdem mein Sohn ihn nun am 13. November 1980 wieder nach Hause brachte – diesmal im Auto in neun Stunden, hatte ich doch rechte Sorge, ob alles gut weitergehen würde. Der Klimawechsel hat ihm zuerst auch ein bißchen zu schaffen gemacht. Außerdem fing ein Leiden vom Vorsommer – dicke Füße – wieder an. So wurde er jetzt im Jänner einem praktischen Arzt vorgestellt, weil meine Schwester befürchtete, daß alles wieder so anfangen würde, wie damals im Frühjahr. Also wurde eine Prostatauntersuchung vorgenommen – und siehe da, der Kommentar dieses Arztes: ‚Ich kann mir gar nicht vorstellen, wo der alte Herr die Geschwulst gehabt haben soll und wie man allen Ernstes überhaupt eine Operation hat vorschlagen können. Da ist doch gar nichts los! Und die dicken Beine – das hängt ein bißchen mit seinem Kreislauf zusammen, das kriegen wir schon wieder hin! Ansonsten ist der alte Herr – dafür daß er in diesem Jahr 90 wird – so gesund, wie man es sich nur wünschen kann. Kein Zucker, keine Anzeichen von behandlungsbedürftigen Symptomen – außer daß man seinen Kreislauf ein bißchen stärken sollte!'«

Herr Pfarrer Imre K. aus S./Ungarn schreibt am 18. Jänner 1981:

»Ich möchte Ihnen Dank sagen für Ihre Hilfe, die ich durch das Kleinblütige Weidenröschen bei meinen **Prostata-Beschwerden** bekam. Ich kann mit großer Freude berichten, daß sich mein Leiden bedeutend gebessert hat. Ein ewiges Vergeltsgott! Ich bete für Sie täglich in meiner heiligen Messe. Ein Bekannter aus Deutschland hat mir Ihr neu bearbeitetes Buch Juni 1980 geschickt. Vielen Mitmenschen empfehle ich die Kräuter aus Ihrem Buch ‚Gesundheit aus der Apotheke Gottes'.«

Frau Fidelia E. aus Bad K./BRD schreibt am 7. Februar 1981:

»Ich hatte seit zweieinhalb Jahren ein großes, quälendes **Ekzem** unterhalb der Brust. Mit Toxymsalbe und Kamillosan-Waschungen ist das Ekzem eher noch schlimmer geworden, worüber ich ganz verzweifelt war. Durch die Behandlung mit Zinnkraut- und Ringelblumentee und kalt angesetzter Käsepappel, lauwarm angewärmt, ist das Ekzem nach einmonatigen Waschungen völlig verschwunden. Weiters kann ich noch berichten: Ich bin seit 1962 **zuckerkrank**. In den letzten zwei Jahren war der Blutzuckergehalt meist um 200, manchmal höher. Ich stehe ständig unter ärztlicher Kontrolle. Laut Ihrer Broschüre ‚Gesundheit aus der Apotheke Gottes' begann ich im August 1980 neben den täglichen Euglucon-Tabletten den angegebenen fünfteiligen Tee sowie den Porree-Wein zu trinken. Bald danach begann der Blutzucker zu sinken und auch jetzt habe ich immer durchschnittlich 110!«

*Frau Ilse D. aus L./OÖ. schreibt am 13. Februar 1981:*

»Mein Mann war gürtelroseverdächtig und so besorgte ich die von Ihnen unter ‚Gürtelrose‘ angeführte Kräutermischung und legte den Sud als Umschläge auf. Es ging meinem Mann sofort besser, so daß wir annahmen, daß es gar keine Gürtelrose war. Die hatte er nämlich schon vor Jahren. Nun blieben mir Kräuter übrig, um die mir leid war. Ich füllte sie in ein Leinensäckchen, wärmte sie trocken an und legte sie auf ein jahrelang **nässendes Ekzem** meines Mannes. Und dieses nässende Ekzem, das ihn jahrelang plagte, war in genau drei Tagen verschwunden! Die Haut ist wieder gesund, wir legen jedoch zur Sicherheit einmal wöchentlich dieses Kräutersäckchen auf.«


*Frau Elisabeth D. aus B./BRD schreibt am 14. Februar 1981:*

»Ich habe mit Ihren Ratschlägen zur **Blutreinigung** durch Brennessel- und Zinnkrauttee so gute Erfolge erzielt, daß der Arzt erstaunt war, festzustellen, daß keine Spur einer **Nierenreizung** mehr erkennbar sei.«


*Frau Hildegard K. aus R./BRD schreibt am 18. Februar 1981:*

»Im Dezember 1980 wurde ich von einem **Brusttumor** befallen. Ich war verzweifelt und begann mit der genauen Anwendung der von Ihnen empfohlenen Behandlung aus der Broschüre ‚Gesundheit aus der Apotheke Gottes‘. Ich gab alle übrigen Behandlungen auf und machte Umschläge mit Zinnkraut und stellte mich auf Rohkostdiät um. Ich entgiftete dadurch meinen Körper und nahm 12 Pfund ab. Nun hat sich bis auf eine winzige Kleinigkeit alles aufgelöst. Ich danke Ihnen von ganzem Herzen.«


*Frau Gertrude G. aus K./Allgäu schreibt am 19. Februar 1981:*

»Ein Zeitungsreporter rief mich vor Ihrem Vortrag in unserer Stadt begeistert an und erzählte mir, seine Schwiegermutter hatte im höchsten Grad **Leberzirrhose**. Sie trank nach der Broschüre ‚Gesundheit aus der Apotheke Gottes‘ Bärlapptee und zwar mindestens einen Liter täglich und war nach einem halben Jahr vollkommen gesund. Er selbst hatte sich bei Bauarbeiten an seinem neuen Haus den Ellbogen verletzt und große Schmerzen. Mit Schwedenkräuter-Auflagen verlor er innerhalb von vierzehn Tagen alle Schmerzen. Seine Maurer, die beim Bau mithelfen, beheben jetzt alle **Verletzungen** mit Schwedenkräuter-Umschlägen. So werden immer mehr Menschen begeisterte Anhänger dieses Hausmittels!«


*Frau Rosa S. aus L./BRD schreibt am 22. Februar 1981:*

»Mein Schwager leidet an einem furchtbaren Asthma, so daß er am Ersticken war. Dazu kam noch **Schluckauf**. Trotz Spritzen und Tabletten wurde er nicht besser. Nun fand meine Schwester Hilfe durch ihre Broschüre. Nach der zweiten Tasse Dillsamentee war der Schluckauf vorbei. Ein herzliches Vergeltsgott für Ihre guten Ratschläge in der Broschüre ‚Gesundheit aus der Apotheke Gottes‘!«


*Herr Paul E. aus E./BRD schreibt am 23. Februar 1981:*

»Als Folge eines Verkehrsunfalles blieb mir ein **steifer Nacken**. Ärztlicherseits konnte man mir nicht helfen. Die empfohlenen Anwendungen in Ihrer Broschüre ‚Gesundheit aus der Apotheke Gottes‘ mit Zinnkraut-Dunstumschlägen, acht Wochen lang morgens und abends aufgelegt, haben mir geholfen. Ich kann meinen Nacken wieder gut bewegen. Ich danke für die Herausgabe Ihrer Broschüre. Sie haben die Menschen damit wachgerüttelt, sich auf die Heilkräuter zu besinnen!«


*Frau Martha M. aus M./BRD schreibt am 25. Februar 1981:*

»Ihre Anregungen aus der Broschüre ‚Gesundheit aus der Apotheke Gottes‘ halfen mir in zwei Fällen: Durch Ringelblumensalbe verlor ich meinen **Fußpilz** und Schwedenkräuter-Umschläge befreiten mich innerhalb weniger Stunden von starken Fußknöchel-Schmerzen, die durch eine **Sehnenzerrung** hervorgerufen wurden.«

*Frau Inge R. aus A./BRD schreibt am 1. März 1981:*

»Meiner Tochter — eine Apothekerin — erzählte eine Kundin von einem wunderbaren Heilerfolg durch die Schwedenkräuter. Der Arzt stellte bei ihrer Schwester **Angina pectoris** fest und war völlig erstaunt, daß diese Krankheit auf Grund des Schwedenbitters nicht mehr feststellbar ist. In der gleichen Woche hörte mein Mann etwas ähnliches und zwar eine **Lungenkrankheit** betreffend. Meine Tochter, die bisher an Tee- und Naturheilmittel-Erfolge nicht recht glauben konnte, war von dem, was ihr da so unmittelbar berichtet wurde, sehr beeindruckt. Sie empfahl daher einem jungen Mann die Anwendung aus der Broschüre ‚Gesundheit aus der Apotheke Gottes‘ bei Diabetes. Eine bekannte Dame, von der ich Ihre Broschüre erhielt, erzählte uns das Unfaßliche, daß sie sich vor Jahren einer **Darmkrebs**operation unterziehen mußte. Daß sie gesund wurde, schreibt sie dem Schwedenbitter und den unter ‚bösartige Darmerkrankung‘ angegebenen Kräutertees, die sie regelmäßig getrunken hatte, zu.«

*Herr Wilhelm M.-Sch./Bayern erzählte mir am 7. März 1981 folgendes:*

»Während des Krieges erkrankte ich in der englischen Kriegsgefangenschaft an Malaria. Ich bekam Jahre darnach in den heißen Monaten schlagartig hohe **Fieberanfälle**. 1975 wurden mir bei einer Gallen-operation 75 Gallensteine entfernt. Dabei wurde ein sehr schlechter Zustand der Leber festgestellt, so daß der Arzt meinte, sie wäre ‚wegschmeißenswert‘ und stellte gleichzeitig eine **Leberzirrhose** fest. Mein Gesundheitszustand verschlechterte sich nun von Tag zu Tag. Ein furchtbarer Ekel gegen Fleisch, Wurst und Fett (ausgenommen Butter) trat hinzu. Als Begleiterscheinungen kamen schmerzhafte **Band-scheiben-Beschwerden** hinzu, so daß ich kaum mehr fähig war, aufzustehen.

1978 begann ich nach Ihrer Broschüre ‚Gesundheit aus der Apotheke Gottes‘ tagsüber sehr viel Brenn-nessel-, morgens und abends je eine Tasse Bärlapp- und vor und nach jeder Mahlzeit je einen Schluck Kalmuswurzeltee zu trinken, dabei frischen Löwenzahnsalat und Löwenzahnstengel zu essen. Nebenbei machte ich des öfteren Zinnkraut-Sitzbäder vom großen, hochstengeligen Zinnkraut aus Sumpfwiesen, die mir spürbar gut taten. Ich habe das Zinnkraut in einen Leinensack gegeben, 24 Stunden ange-wässert, den Ansatz in die Sitzbadewanne geseiht, das Zinnkraut aus dem Sack mit frischem Wasser nochmals zugesetzt, einmal aufkochen lassen und den Absud dazugegossen. Beim ersten Bad habe ich sofort eine Erleichterung verspürt. Nach ca. einem dreiviertel Jahr konnte ich, ohne daß mir übel wurde, wieder Fleisch und Wurst essen und auch die Wirbel- und Bandscheibenbeschwerden waren ver-schwunden. Richtig gesund war ich aber erst nach ca. zwei Jahren. In dieser Zeit habe ich laufend die Kräuter angewendet. Auch wenn man sich wieder gesund fühlt, ist die Vermeidung aller alkoholischen Getränke sowie Bohnenkaffee Grundvoraussetzung.«

*Frau J. aus der DDR schreibt am 11. März 1981:*

»Vor Weihnachten hatte meine Tochter eine sehr schlimme, offene **Gürtelrose**. Als der Arzt ihr ankün-digte, daß sie die Schmerzen noch ein halbes Jahr haben könnte, sie aber die dafür vorgesehenen Schmerztabletten nicht schlucken wollte, griff sie auf Anraten zu Spitzwegerichsaft, in der Haushalts-zentrifuge hergestellt. Auf ihrer Wiese wuchs dieses Heilkraut. Schon nach der ersten Anwendung ließen die Schmerzen nach. Es war dann die erste Nacht, in der sie wieder richtig schlafen konnte.«

*Frau Sibylle G.-F. aus H./BRD schreibt am 12. März 1981:*

»Ich möchte Ihnen heute aus vollem Herzen für die Broschüre ‚Gesundheit aus der Apotheke Gottes‘ danken. Ich bin Landwirtin und bewirtschafte mit meinem Mann und meinem Sohn einen größeren Betrieb. Seit unserer Heirat vor sechsundzwanzig Jahren litt ich an schweren **Blasenentzündungen, Nierensteinen** und **-grieß**. Ständig war ich in ärztlicher Behandlung. Der Urologe erklärte mir, ich müßte mein Leben lang täglich drei Antibiotika-Tabletten einnehmen. Dadurch aber litt ich ständig unter Magendruck, Appetitlosigkeit, Müdigkeit usw. Wenn ich die Tabletten nur zwei Tage absetzte, war das Brennen in den Harnwegen wieder da. Meine Schwester, die das gleiche Leiden hat, und ich machten dann ohne Erfolg eine Frischzellenkur.

Meine Schwester brachte mir eines Tages die Broschüre ‚Gesundheit aus der Apotheke Gottes'. Ich holte mir frische Brennesseln und trank davon täglich drei Tassen Tee, außerdem gab ich jeweils einen Teelöffel Schwedenbitter in jede Tasse. Kürzlich war ich bei meinem Hausarzt und habe den Urin untersuchen lassen. Er ist völlig in Ordnung und der Arzt war erstaunt. Ich fühle mich wieder voll leistungsfähig, sehe jünger aus und meine Haut ist frisch und glatt geworden. Diese Kur mache ich jetzt seit einem halben Jahr.«

*Herr Rudolf Sch. aus N./BRD schreibt am 18. März 1981:*

»Unser jüngster Sohn hat eine **Schleimbeutel-Entzündung** nach Ihrer Broschüre ‚Gesundheit aus der Apotheke Gottes' selbst geheilt. Der Arzt hat sich gewundert und gefragt, wie das sein konnte. Er hätte wahrscheinlich operiert werden müssen. ——————

Eine Verkäuferin, die wir kennen, hatte **Schuppenflechte (Psoriasis)**; sie hatte alles mögliche versucht, nichts hat geholfen. Sie wußte nicht mehr, wie sie sich frisieren sollte. Sie hat nur ein einziges Mal die Kopfhaut tüchtig mit Schwedenbitter behandelt und war geheilt.«

*Frau Hanna Sch. aus A./BRD schreibt am 20. März 1981:*

»Vor ca. vier Monaten ist mir durch Zufall Ihre Broschüre ‚Gesundheit aus der Apotheke Gottes' in die Hände gekommen. Es ist kaum zu glauben, aber ich habe das **nächtliche Schwitzen**, begleitet durch Schwäche am Morgen, durch Salbeitee verloren. Auch mit anderen Teesorten habe ich Erfolge erzielt. Wunderbar sind die Schwedenkräuter. Meine **Magen-, Darm-** und **Gallenbeschwerden** sind fast verschwunden. Da ich nicht sehr robust bin, dafür aber einen starken Willen besitze, habe ich sehr viel Schwächen und Übelkeiten ertragen müssen. Durch die Einnahme des Schwedenbitters habe ich jetzt guten Appetit und vor allem, es bekommt mir auch.«

*Frau U. B. aus Aalen schreibt am 25. März 1981:*

»In meiner Familie und meinem Bekanntenkreis gibt es bereits viele spektakuläre Erfolge nach Anwendung der Rezepte aus Frau Trebens Buch: Normalisierung von jahrzehntelangem extrem **niedrigen Blutdruck** (60/90) innerhalb von 5 Monaten (eine vierwöchige Kur mit medikamentöser Behandlung blieb vorher ohne jede Wirkung), völliges Verschwinden quälender **Schweißausbrüche** während der Wechseljahre, Wiedererlangung des seit Jahren verlorenen Geschmacks- und Geruchssinnes innerhalb einer Woche und Ausheilung eines **Krebsgeschwüres** (medizinisch diagnostiziert) am Ohr meines Mannes.«

*Herr Leo L. aus H./BRD schreibt am 5. April 1981:*

»Durch Ihre Broschüre ‚Gesundheit aus der Apotheke Gottes' ist uns auch Ihr Wissen zugegangen. Das Kleinblütige Weidenröschen hat mir eine Operation erspart! Mein Urologe war letztes Jahr nach der Vorsorge-Untersuchung überrascht, daß meine **Prostata-Geschwulst** beachtlich kleiner geworden ist und der Strahl sich normalisiert hat. — Ich habe auch mit Misteltee gute Erfahrungen gemacht! Der **Druck im Kopf** hat ganz nachgelassen und ich verspüre fast keine **Herzbeschwerden** mehr. Ich danke Ihnen sehr herzlich für Ihre Hilfe durch die Broschüre!«

*Frau Irmela B. aus B./BRD schreibt am 11. April 1981:*

»Ihre ‚Gesundheit aus der Apotheke Gottes' ist weiter verbreitet als Sie ahnen, aber nicht alle leben danach. Ich aber kann nur Gutes berichten. Eine 70-jährige Bekannte trank vier Wochen lang Brennnesseltee und wurde ihre lästigen **Armschmerzen** los, meine Mutter ihre schwere **Kreislaufstörung** durch den gleichen Tee, mit Schwedenbitter vermischt, und eine arge **Ischias**, nur durch einmalige Anwendung von Ringelblumensalbe.«

*Herr Manfred B. aus M./BRD schreibt am 12. April 1981:*

»Ich danke Ihnen für die guten Ratschläge in Ihrer Broschüre ‚Gesundheit aus der Apotheke Gottes‘. Ich konnte mit bestem Erfolg durch Ringelblumentee innere **Krampfadern** heilen und mußte mich, Gott sei Dank, nicht operieren lassen.«


*Frau B. St. aus S./Schweiz schreibt am 23. April 1981:*

»Mein Mann erkrankte plötzlich an **Darmkrebs** und zwar ähnlich, wie Sie in Ihrer Broschüre ‚Gesundheit aus der Apotheke Gottes‘ von Ihrer Mutter beschrieben haben. Als ich Ihre Broschüre las, hatte er bereits 6 kg abgenommen. Er begann sofort mit einer Teekur — Ringelblume, Schafgarbe und Brennnessel, dazu Schwedenbitter und sechs Schluck Kalmustee vor und nach dem Essen. In etwa 14 Tagen hatte er das verlorene Gewicht wieder zugenommen. Der Arzt riet jedoch zur Operation, da sich am Darm ein bösartiges Geschwür gebildet hatte. Nach der Entlassung aus dem Krankenhaus hat er gleich wieder mit der Teekur begonnen. Ich möchte Ihnen von ganzem Herzen danken, denn Ihre wunderbaren Ratschläge haben gute Erfolge erzielt.«


*Der 14-jährige Harald K. aus B./BRD schreibt am 24. April 1981:*

»Ich finde Ihr Buch fantastisch. Ich leide an zu **niedrigem Blutdruck**, der mit Schwindel verbunden ist. Ich habe, durch Ihre ‚Apotheke Gottes‘ angeregt, Hirtentäschelkraut gesucht und nach Ihren Angaben aufgebrüht, wovon ich zwei bis drei Tassen zwei Tage lang trank. Danach war der Schwindel wie weggeblasen. Ihr Buch hat mich auf die Idee gebracht, mich weiterhin mit Kräutern zu beschäftigen.«


*Frau Antonie L. aus R./Tirol schreibt am 28. April 1981:*

»Ein Missionar, der mit 50 Jahren von den Ärzten aufgegeben wurde, ist durch nachfolgendes Rezept von der **Wassersucht** geheilt worden, sodaß er noch bis zu seinem 80. Lebensjahr in der Mission wirkte. Man nimmt soviel getrocknete Meerzwiebeln, als man mit vier Fingern fassen kann, einen Kaffeelöffel Borax und 15 bis 20 zerdrückte Wacholderbeeren, kocht sie fünf Minuten lang in 1 ¾ Liter Wasser (die Menge wird kalt zugesetzt), läßt 10 Minuten ziehen und seiht ab. Davon nimmt man morgens nüchtern und abends vor dem Schlafengehen je fünf Eßlöffel. Diese abgekochte Menge reicht für eine Woche. Um die Kur, die drei Wochen dauert, erfolgreich abzuschließen, wird noch zweimal die gleiche Menge hergestellt. Sollte es sich um eine **Herzwassersucht** handeln, nimmt man zum Kochen 1 ¾ Liter Wein.

———

Die frischen Blätter der Meerzwiebel (beim Gärtner erhältlich) sind wundheilend. Man wäscht sie, klopft sie auf einem Brett mit einem Holzstiel bis sie feucht werden und bindet sie auf die **offene Wunde**.«


*Frau Anna R. aus F./OÖ. spricht mich am 28. April 1981 auf der Straße an:*

»Ich kann Dir nicht genug danken! Jahrelang fühlte ich mich veranlaßt, gegen meinen **hohen Blutdruck** Tabletten zu nehmen. Meinem Sohn, der selbst Arzt ist, war das gar nicht recht. Ich sollte versuchen, ohne Tabletten auszukommen. Nun habe ich nach Deiner ‚Gesundheit aus der Apotheke Gottes‘ Hirtentäscheltee getrunken. Ich fühle mich so wohl, daß ich es gar nicht sagen kann! Sollte mir mein Blutdruck wieder zu schaffen machen, werde ich sofort wieder Hirtentäscheltee trinken.«


*Frau Else S. aus Wien schreibt am 4. Mai 1981:*

»Eine befreundete Bäuerin aus der Oststeiermark machte mich auf Ihr Buch aufmerksam. Obwohl ich am Anfang sehr skeptisch war, bin ich nun eine Anhängerin der Heilkräuter geworden. Mein Mann hatte jahrelang unter **Halsbeschwerden** zu leiden, auch sein praktischer Arzt konnte ihm nicht helfen. Nervlich machte ihm die Sache schwer zu schaffen, da er an eine bösartige Sache glaubte. Nun versuchte er es nach Ihrem Buch mit Käsepappel zu gurgeln und Auflagen mit Schwedenbittertropfen. Seit dieser Zeit hat er keine Beschwerden mehr.«

*Frau Erni Th. aus Sp./Kärnten schreibt am 9. Mai 1981:*

»Mein Mann mußte jahrelang Tabletten wegen seines hohen **Cholesterin**gehaltes nehmen, trotzdem ging er nicht zurück. Eine dreiwöchige Ehrenpreiskur hat den Cholesterin-Spiegel normalisiert. Der Arzt konnte es einfach nicht glauben.«


*Frau Dr. Martha R. aus V./Aller schreibt am 12. Mai 1981:*

»Ich möchte Ihnen einige Rezepte übermitteln, die zum Teil seit Generationen in unserer Familie mit gutem Erfolg angewendet werden: Bei einfacher **Magenverstimmung** hilft das abgekochte Wasser von Salzkartoffeln. Bei **Magengeschwüren** sind rohe oder ungezuckert gekochte Preiselbeeren ausgezeichnet. Bei jeglicher **Störung im Verdauungstrakt** (Verstopfung, Durchfall, Magenschmerzen, Bauchweh, Aufstoßen) hilft mir Nux vomica J 6. Bei **Wassersucht** kocht man Linsen ohne Salz und trinkt das Wasser. Meine Mutter erzählte oft von einem eindrucksvollen Erlebnis. Sie sei als Kind heimgekommen und erzählte ihrer Mutter von einer Bekannten, die bettlägerig war, weil **Wasseransammlungen** bis über die Knie standen. Ihre Mutter hat dann sofort einen großen Topf Linsen gekocht und zu der Kranken getragen. Als sie von dem Linsenwasser getrunken hatte, ist das Wasser literweise abgegangen. Ich selbst habe Ende des Krieges auf dem Lande um Linsen gebeten, um einen Onkel wegen seiner Wasseransammlungen zu helfen. Der Erfolg war auch sofort da. Wenn sich bei meiner Mutter — sie war damals schon über 90 Jahre alt — eine leichte Schwellung um die Knöchel bildete, kochte sie einfach eine normale Linsensuppe, die auch sofort diese Wasseransammlungen nahm.«


*Frau Maria M. aus U./BRD schreibt am 17. Mai 1981:*

»Bereits im Jahr 1962 konnte ich aus eigener Erfahrung mit Heilkräutern größte Erfolge erzielen. Mein Mann erkrankte an **Tuberkulose.** Täglich brühte ich eine Handvoll frische Schafgarbenblüten in zwei Liter Wasser, diesen Tee trank er tagsüber. In einem Monat war er gesund und ist es bis heute geblieben. Ein Erfolg aus der ‚Gesundheit aus der Apotheke Gottes'.«


*Frau Leopoldine St. aus S./NÖ. schreibt am 18. Mai 1981:*

»Unsere kleine Monika hatte 1979 sehr viele **epileptische Anfälle.** Sie war bei der Geburt ein ganz normales Kind, nur fing sie etwas später als andere Kinder zu laufen und zu sprechen an. Bei einer ärztlichen Untersuchung in Wien wurde ein Entwicklungsrückstand festgestellt, den man, wie man sagte, mit 14, 15 Jahren kaum mehr feststellen wird. Es wurden vier verschiedene Medikamente verschrieben. Und plötzlich bekam sie ganz schreckliche Anfälle. Sie mußte drei Wochen in eine Wiener Klinik. Als wir sie Weihnachten nach Hause holten, war sie ein vollkommen verändertes Kind, sie konnte kein Wort mehr sprechen und hatte viele Anfälle, obwohl man uns das Gegenteil versicherte. Nun begannen wir mit den Kräutern, vor allem mit Thymian-, Johanniskraut- und Schafgarbenbädern, legten auf den Hinterkopf die Schwedenkräuter-Umschläge und gaben dem Kind täglich Brennesseltee zu trinken. Es geht ihr nun Gott sei Dank schon besser. Bei Tag hat Monika keinen Anfall mehr, ab und zu in der Nacht. Sie kann wieder etwas sprechen, alleine laufen, kennt Tiere und Gegenstände. Daß das Kind wieder soweit hergestellt ist, verdanken wir den Kräutern und Ihren Ratschlägen, worüber wir Ihnen herzlich Dank sagen.«


*Frau Franziska D. aus G./OÖ. schreibt am 23. Mai 1981:*

»Mit großer Dankbarkeit kann ich mitteilen, daß mich das Zinnkraut völlig von meinen **Bandscheibenbeschwerden** befreit hat. Mein Mann litt seit einigen Jahren an einem starken **Bronchialkatarrh.** Täglich gab ich ihm Thymian- und Spitzwegerichtee mit Honig, sodaß endlich dieser hartnäckige Husten, der ihn besonders nachts quälte, verschwand. Ein tausendfaches Vergeltsgott!«


*Frau Elke St. aus M./BRD schreibt am 26. Mai 1981:*

»Ich möchte Ihnen einfach einmal danken, daß Sie sich so sehr dafür einsetzen, anderen Menschen Hilfe zu bringen. Ich selbst hatte unserem Sohn zweimal Antibiotika gegeben, der Arzt saugte den Eiter aus dem Ohr ab und verschrieb ein weiteres Penicillin-Präparat. Zufällig hatte ich Schwedenkräuter angesetzt. Ich schob meinem Sohn nachts alle zwei Stunden einen mit Schwedenbitter befeuchteten Wattebausch ins Ohr. Noch einen Tag und eine Nacht habe ich bei meinem Fünfjährigen gewacht – das Fieber blieb weg. Daraufhin habe ich seine Ohren wieder vom Arzt untersuchen lassen. Er fand keine neue Eiterbildung mehr und meinte, die Heilung schreite voran. Ich gestand, daß ich mit Schwedenbitter gearbeitet hätte. Ich gab meinem Sohn noch drei weitere Tage Wattebäusche ins Ohr und damit ist auch die **Mittelohreiterung** völlig verschwunden. Heute tobt unser Kind wieder draußen herum.«

*Frau Hedwig K. aus R./BRD schreibt am 29. Mai 1981:*

»Eine Freundin aus Mecklenburg/DDR war sehr krank. Sie hatte eine bösartige **Magen- und Darm-erkrankung** und mußte zwei Jahre strengste Diät halten. Ich riet ihr, nach Ihrem Buch, zum Kalmustee. Der hat ihr so gut geholfen, daß sie mich besuchen konnte. Nun ist sie vor Weihnachten über die Keller-treppe gestürzt, erlitt **Prellungen** und einen inneren **Bluterguß**. Ich schickte ihr vor Ostern Schweden-bitter, den sie als Wundermittel pries. Alle drei Stunden wurde der Bluterguß mit den Tropfen betupft. Nach zwei Tagen bekam sie daraufhin ganz arge Schmerzen, daß sie im Bett bleiben mußte. Nach weiteren drei Tagen wurde es besser – und plötzlich ganz schnell gut, so daß sie jetzt alle Arbeiten wieder selbst erledigen kann.«

*Herr Johann L. aus G./Stmk. schreibt am 3. Juni 1981:*

»Eine Volksdeutsche aus Jugoslawien, die nach dem Zweiten Weltkrieg hier bei uns in der Steiermark eine neue Heimat gefunden hat, gab mir einmal ein Hausmittel gegen **Malaria** bekannt, daß ich Ihren Lesern nicht vorenthalten möchte. Man nimmt vom Acker ein paar Handvoll noch nicht vollreife Hafer-ähren samt Halme und bereitet für den Malaria-Kranken eine längere Zeit hindurch täglich einen Tee. Die Fieberanfälle hören dann allmählich auf. Diese Frau erzählte mir, ihr Vater kam nach dem Ersten Weltkrieg malariakrank nach Hause. Er hatte unter starken Fieberanfällen zu leiden. Eines Tages kam ein fremder Mann auf den Bauernhof, gerade als der Vater wieder einen solchen Anfall hatte. Er riet zu den Haferähren, die den malariakranken Vater von seinen Fieberanfällen befreiten.«

*Herr Josef H. aus G./Stmk. schreibt am 8. Juni 1981:*

»Vor sieben Jahren sollte ich an der **Prostata** operiert werden. Dank des Tees vom Kleinblütigen Weiden-röschen habe ich das Leiden ausgeheilt. Ich möchte vor allem der Gottesmutter innig danken, daß ich noch immer beschwerdefrei bin.«

*Herr Ludwig Sch. aus L./BRD schreibt am 10. Juni 1981:*

»Es drängt mich, Ihnen einmal die Heilerfolge von mir und einigen Bekannten mitzuteilen. Mein **Prostata-leiden** hat sich laut ärztlicher Untersuchung so sehr gebessert, daß die Prostata wieder klein und weich geworden ist. Ich habe täglich zwei Tassen Tee vom Kleinblütigen Weidenröschen getrunken und trinke ihn weiter. Im Jahr 1978 erkrankte ich an einer **Störung** des gesamten **Verdauungstraktes** einschließlich Bauchspeicheldrüse und hatte hartnäckige **Stuhlverstopfung**. Als sich mein Gesundheitszustand trotz Einnahme der verordneten Medikamente verschlechterte, ließ ich in meiner Verzweiflung von einem Tag auf den anderen alle Medikamente weg und stellte mich auf Tees um. Mir geht es seitdem besser, wenn auch zwischendurch im Magen- und Bauchbereich Schmerzen auftreten. Ich trinke, auf den Tag verteilt, Tee aus Schafgarben, Brennessel, Zinnkraut, Kamillen und Wegwarte im Wechsel. Bei akuten **Magen-schmerzen** habe ich wiederholt eine Rollkur mit Kamillentee durchgeführt.

Gegen **Kreislauf- und Durchblutungsstörungen** in Verbindung mit **niedrigem Blutdruck** und sehr starker **Konzentrationsschwäche** trinke ich täglich zwei Tassen Misteltee auf den Tag verteilt. Diese Beschwer-den haben sich dadurch sehr gebessert. Eine Tasse Ehrenpreistee, den ich vor dem Schlafengehen trinke, verhilft mir zu einem **ruhigen Schlaf**. Mein **Zahnfleischschwund** mit starkem **Zahnfleischbluten (Parodontose)** hat sich durch Zähneputzen mit Salbeitee sehr gebessert. Außerdem nehme ich zwei- bis dreimal täglich je einen Teelöffel Schwedenbitter, verdünnt mit Tee.

———

Bei einer Frau, die seit vielen Jahren an **Juckreiz** leidet und schon verschiedene Behandlungen durchgeführt hat, trat bereits nach einigen Tagen durch Trinken von Brennesseltee mit Schwedenbittertropfen eine bemerkenswerte Besserung ein. Ein Kranker, der mit vorangeschrittener **Leberzirrhose** aus dem Krankenhaus entlassen wurde und nicht mehr gehen konnte, begann Bärlapptee zu trinken. Nach ein paar Tagen lief er seiner Frau im Zimmer entgegen. Heute unternimmt er bereits wieder größere Spaziergänge. Ein Arbeitskollege konnte oft bis in die tiefe Nacht keinen Schlaf finden. Er begann den Tee gegen **Schlaflosigkeit**, den man in der ‚Gesundheit aus der Apotheke Gottes‘ unter Artikel ‚Schlüsselblume‘ findet, zu trinken. Nun schläft er eine halbe Stunde nach Trinken dieses Tees gut ein.

––––––

Das Kleinblütige Weidenröschen hat in meinem Bekanntenkreis schon sehr vielen geholfen. Der Schwiegervater dieses Arbeitskollegen hatte sich an der **Prostata** operieren lassen. Nach einigen Wochen konnte er das Wasser nicht mehr halten. Hier hat das Kleinblütige Weidenröschen ebenfalls Wunder gewirkt. Diese angeführten Heilerfolge sind Dank Ihrer Ratschläge in der Broschüre ‚Gesundheit aus der Apotheke Gottes‘ erfolgt. Ich möchte Ihnen auch im Namen meiner Bekannten für Ihre Hilfe herzlich danken.«

*Frau Christine W. aus D./OÖ. schreibt am 14. Juni 1981:*

»Es ist Zeit, Ihnen die erfreuliche Mitteilung zu machen, daß meine Nichte Stefanie E., die an **Lymphdrüsenkrebs** im dritten Stadium erkrankt ist, ganz große Fortschritte mit der Behandlung machte, die in der Broschüre ‚Gesundheit aus der Apotheke Gottes‘ unter ‚Lymphdrüsen-Erkrankung‘ zu finden ist. Sie hat beinahe ihr Gewicht erreicht und fühlt sich viel, viel besser. Sie hat sogar schon zweimal eine Bergtour unternommen. Nach Gott danken wir Ihnen recht herzlich für die große Hilfe durch Ihre Broschüre ‚Gesundheit aus der Apotheke Gottes‘.«

*Herr Walter Z. aus I./BRD schreibt am 19. Juni 1981:*

»Da ich seit Allerheiligen 1979 nach einer Operation in der Schweiz (Tumor an der Wirbelsäule) querschnittgelähmt bin, habe ich bis heute ein großes Quantum an Tabletten aller Art einzunehmen. Seit zehn Jahren leide ich an einer **Leberinfektion**. Im Jänner 1981 hat eine erneute Blutuntersuchung schlechte Werte ausgewiesen. Nun trinke ich seit drei Monaten nach Ihrem Kräuterbuch täglich eine Tasse Bärlapptee. Nach einer erneuten Blutuntersuchung waren die Leberwerte, zum Erstaunen der Ärzte und zu meiner großen Freude, vollkommen normal.«

*Frau Ida B. aus F./BRD schreibt am 26. Juni 1981:*

»1971 wurde ich an der rechten Brust operiert, es war aber gottlob nicht bösartig. Ich hatte Jahre hindurch immer wieder Angina und nach der Operation spürte ich kein Halsweh mehr. Eine Ärztin meinte, die Angina hätte sich in die Brust gezogen. Heuer im Frühjahr spürte ich in der gleichen **Brust** wieder einen **Knoten**. Nun machte ich mir aus getrockneten Ringelblumen eine Salbe und band die abgeseihten Blüten acht Tage lang auf die Brust, nach acht Tagen nochmals eine frische Packung. Als ich diese abnahm, war die ganze Geschwulst weg. Ich war sehr glücklich darüber.«

*Frau Lilly E. aus W./Kärnten schreibt am 2. Juli 1981:*

»Mein Vater hatte vor 3 Jahren eine kindskopfgroße **Prostata-Geschwulst**, die operativ entfernt werden sollte. In kurzer Zeit war diese durch Trinken von Weidenröschentee vollkommen verschwunden. Außerdem konnte er in Kürze seinen Dauerkatheder weggeben. Ein herzliches Vergeltsgott!«

*Frau Amalia K. aus H./BRD schreibt am 3. Juli 1981:*

»Vor etwa einem Jahr bekam ich Ihre Broschüre ‚Gesundheit aus der Apotheke Gottes‘. Wieviele Rezepte wurden seit dieser Zeit bei Bekannten und Freunden in Anwendung gebracht. Einen dieser großen Erfolge möchte ich Ihnen schon deshalb darlegen, daß auch andere Heilsuchende durch dieses

Beispiel Mut bekommen. Mein 41-jähriger Neffe schrieb mir vor etwa zehn Monaten aus Sacramento (Kalifornien), daß er an täglichen, schweren **Darmblutungen** leide und die ärztliche Diagnose einwandfrei auf **Darmkrebs** laute. Ein seitlicher Ausgang sei daher notwendig. Ich übersandte ihm per Luftpost sofort Ihre Broschüre ‚Gesundheit aus der Apotheke Gottes', Schwedenbitter, Kalmuswurzel und die weiteren Kräuter wie Ringelblume, Schafgarbe und Brennessel. So konnte er nach Anweisung Ihrer Broschüre die Behandlung beginnen. Heute ist mein Neffe wieder voll arbeitsfähig. Die Darmblutungen haben nach Trinken von Kalmuswurzeltee, Schwedenbitter und anderen Teesorten bereits am vierten Tag ohne Nachblutungen aufgehört. Müdigkeit und Gewichtsabnahme hörten ebenfalls langsam auf.«

*Herr Matthias H. aus A./BRD schreibt am 10. Juli 1981:*

»Eine **Pilzerkrankung**, die mir sehr zu schaffen machte, habe ich mit der Ringelblumensalbe weggebracht! Für Ihre Hilfe durch die Broschüre ‚Gesundheit aus der Apotheke Gottes' möchte ich Ihnen recht herzlich danken.«

*Herr Universitätsprofessor DDr. Josef W. aus G./Salzburg schreibt am 15. Juli 1981:*

»Mein Hund, eine Deutsche Dogge, ist seit seiner Jugend am linken Vorderlauf mit **Papillomen** behaftet, die sich aus einer Liegebeule entwickelt haben. Diese sind an sich wohl nicht bedrohlich, führten aber zu großen Problemen, weil der Hund sie immer wieder aufbiß und damit zuweilen ernsthafte Blutungen herbeiführte. Die befallene Hautfläche stellte ungefähr ein gleichseitiges Dreieck mit einer Seitenlänge von 6 cm dar. Da der Tierarzt keinerlei Heilungsmöglichkeiten sah und auch eine operative Entfernung für untunlich hielt, konsultierte meine Frau wieder einmal Ihr Buch und stieß auf den Artikel über das Schöllkraut. Wir haben im Frühjahr mit einer Behandlung begonnen, bei der die fraglichen Stellen einmal am Tag gründlich mit dem frischen milchigen Saft des Schöllkrautes bestrichen wurden. Der Erfolg ist bisher geradezu unglaublich. Nachdem zunächst – etwa zwei Monate lang – keine Veränderungen eingetreten waren, begann dann fast plötzlich eine schnelle Schrumpfung der Papillome einzutreten. Inzwischen sind sie ungefähr auf ein Drittel des ursprünglichen Ausmaßes zurückgegangen und auf der früher befallenen Fläche ist bereits wieder Haarwuchs eingetreten.«

*Herr Ernst L. aus Bad O./BRD schreibt am 16. Juli 1981:*

»Ich hatte starke **Rheuma**-Schmerzen im Oberarm bis zum Schulterbereich und konnte in der Nacht höchstens 20 Minuten auf dieser Stelle liegen. Den nicht stark ausgedrückten Kräuterrest des Schwedenbitters rührte ich mit zwei Eßlöffel Schweinefett zu einer Salbe, strich diese auf ein Leinenläppchen und legte es über Nacht auf die erkrankte Stelle am Oberarm. Nach sechsmaligem Auflegen wurde ich vollkommen schmerzfrei. Besten Dank!«

*Von Frau K. aus W./OÖ. bekam ich am 18. Juli 1981 folgenden Anruf:*

»Ich hatte vor kurzem eine sehr schmerzhafte **Gürtelrose** beiderseits an der Brust. Ich strich nach der Broschüre ‚Gesundheit aus der Apotheke Gottes' die roten Flecken mit Hauswurzsaft ein und in ca. acht Tagen waren die furchtbaren Schmerzen und die roten Flecken verschwunden.«

*Frau Margreth R. aus Ch./Schweiz schreibt am 22. Juli 1981:*

»Meinem Onkel machte sein **Prostataleiden** sehr zu schaffen, da er fast kein Wasser lassen konnte. Er war nahe daran, ins Spital zu gehen. Es war vor einem Jahr, ich hatte gerade die ersten Kleinblütigen Weidenröschen gepflückt und getrocknet, aber keine Ahnung, ob sie auch wirklich helfen. Davon hat er dann täglich morgens und mittags eine Tasse Tee getrunken. Mein Onkel ist 80 Jahre alt. Binnen zehn Tagen hat sich sein Leiden gebessert. Er hatte seither nie wieder Schwierigkeiten. Im ganzen Dorf und weit darüber hinaus kennt man jetzt das Kleinblütige Weidenröschen. Es wächst in jedem Garten und galt bis dahin als lästiges Unkraut!«

*Frau Helene St. aus B./Bayern schreibt am 27. Juli 1981:*

»Ganz herzlich möchte ich Ihnen für die wunderbare ‚Gesundheit aus der Apotheke Gottes' danken und wünschen, daß sie viele Menschen lesen! Mein Enkel wird im nächsten Monat ein Jahr alt. Im Mai hatte er im **Gesicht** ganz plötzlich lauter kleine **Pusteln**. Erst dachte ich, es wäre von den Erdbeeren, die ich in seinen Brei drückte. Der Kinderarzt meinte, es käme von der Hitze, ein Hautarzt gab dem Weichspüler die Schuld, eine Hautärztin der Seife. Ich strich also mit Schwefelsalbe das Gesicht ein; zufällig brachte ich etwas von der Salbe an meine Lippen. Als ich bemerkte, daß meine Lippen brannten und sich spannten, warf ich die Salbe sofort weg. Durch Zufall kam mir Ihr Buch in die Hände und so wusch ich das Gesicht meines Enkels acht Tage lang mit Käsepappel-Absud; ich weichte abends zwei kleine Zweiglein ein, erwärmte morgens und wusch damit das Gesicht. Nach diesen acht Tagen hatte mein Enkel wieder ein sauberes Gesicht. Dabei wäre die Käsepappel bestimmt auf den Komposthaufen gewandert, wenn es nicht andauernd geregnet hätte. Nun darf sie weiterwachsen, die hilfreiche!

––––––

Meinem Kanarienvogel heilte ich seine **offenen Füße** mit Wegerichbrei. Der Vogel ist schon 12 Jahre alt und konnte mit seinen wunden Füßen nicht mehr auf seinem Stänglein sitzen. 14 Tage machte ich ihm täglich Wegerichbrei und hielt seine Füße in den Breiteller. Nun sitzt der Kanarienvogel wieder auf seinem Stänglein und singt!«


*Hans Joachim V. aus M./BRD erzählte mir am 30. Juli 1981 folgendes:*

»Ab 1973 hatte ich ein **Prostataleiden**, konnte weder sitzen noch liegen, bekam vom Urologen Tabletten, die nicht halfen. Von 1979 an trank ich täglich zwei bis drei Tassen Tee vom Kleinblütigen Weidenröschen. Nach ca. zehn Tagen (!) fand der Urologe bei einer Untersuchung nichts mehr. Vorher mußte ich nachts mindestens drei- bis viermal aufstehen, dann nur noch einmal oder überhaupt nicht.

1976 hatte ich einen Herzinfarkt, war 1978 mit **Angina pectoris** im Krankenhaus, 1979 nochmals drei Wochen wegen **Herzbeschwerden**, hat jedoch nichts bewirkt. Dann trank ich Weißdorntee (Blüten und Blätter) und Misteltee, über Nacht kalt angesetzt. Die beiden Tees haben erst dann geholfen, als ich sie getrennt angesetzt und miteinander getrunken habe.

Von Weihnachten 1980 an habe ich mit dem linken Auge alles doppelt gesehen, bis Februar 1981 wurde es immer schlimmer. Der Augenarzt stellte **Grauen Star** fest, gegen den ich Tropfen bekam. Nach Willfort nahm ich Zwiebelsaft mit einem Tropfen Honig ins Auge. Dadurch besserte sich der Zustand, wenn ich aber die mir verschriebenen Augentropfen nahm, wurde alles wieder schlechter. Dann begann ich mit Schöllkrautsaft. Ich wusch ein frisches Schöllkrautblatt, zerrieb mit befeuchtetem Zeigefinger und Daumen den mürben Blattstengel und strich diese Feuchtigkeit, wie in der neubearbeiteten ‚Gesundheit aus der Apotheke Gottes' beschrieben, zu den Augenwinkeln, ca. drei bis vier Wochen lang. Das half! Meine jetzige **Sehkraft** ist wieder gut, links fast **besser** als rechts!«


*Herr Georg W. aus Sp./Deister schreibt am 3. August 1981:*

»Der Schwedenbitter hat uns sehr geholfen. Nach einem Unfall mußte meine **Wunde** an der linken Augenbraue mit sieben Stichen genäht werden. Durch Schwedenkräuter-Umschläge war nach einigen Tagen nichts mehr davon zu sehen. Bekannte fragten verwundert: ‚Sie hatten doch einen Unfall? Man sieht ja gar nichts davon!'«


*Frau Fanni Sch. aus K./OÖ. schreibt am 4. August 1981:*

»Ich möchte Sie heute auf ein sehr gutes Herz- und Nervenmittel aufmerksam machen, das ich leider in Ihrer ‚Gesundheit aus der Apotheke Gottes' vermisse. Es ist die **Goldmelisse** (Monarda didyma), eine Klosterpflanze, aus der die Trappisten in Engelhartszell/OÖ. einen hervorragenden Kräutergeist für Herz und Nerven herstellen. Ich selbst habe mir Wurzeln bestellt und sie heuer in meinem Garten gepflanzt. Sie wachsen gut und sind blühfreudig, denn ich kann bereits täglich pflücken und die roten, eigenartig duftenden Blüten in einem guten Wein ansetzen. Seit ich diesen Wein gegen meine **Herzbeschwerden** trinke, fühle ich mich sehr wohl. Aus den Blättern kann man auch Tees und Bäder bereiten.«

*Frau Ursula D. aus F./BRD schreibt am 10. August 1981:*

»Meine Helferin hatte morgens plötzlich eine stark **vereiterte Zahntasche** und eine ganz dicke Backe. Durch Anwendung von Schwedenbitter-Auflagen ist sowohl die Eiterung als auch die Schwellung in zwei Tagen vollkommen zurückgegangen. Auch der Vater meiner Helferin, der ein schweres **Augenleiden** hatte, erfuhr eine spürbare Besserung, seit er Schwedenbitter anwendet.«

*Frau Maria E. aus P./BRD schreibt am 10. August 1981:*

»Eine Bekannte litt seit sechs Jahren an schwerem **Asthma**, täglich mußte sie sechs Tabletten nehmen, konsultierte auf diesem Gebiet beste Ärzte, jedoch ohne Erfolg. Ich empfahl ihr Brennesseltee, meinte aber dazu, daß er bei der Schwere ihres Falles nicht so rasch helfen werde. Nach 14 Tagen kam sie überglücklich auf mich zu: ,Ich brauche keine einzige Tablette mehr, ich fühle mich gesund!' Das war vor zwei Jahren. Diese Frau ist bis heute gesund geblieben und überglücklich. Sie hat nun auch Ihr Buch, erteilt daraus eifrig Ratschläge und hat damit schon vielen Menschen geholfen.«

*Frau Gertrude J. aus B./Schweiz schreibt am 15. August 1981:*

»Eine 80-jährige Dame legte frische Beinwellblätter ungequetscht auf ihre **Arthrose** am rechten **Knie**. Am nächsten Morgen waren die Schmerzen geringer, aber sie bekam, da sie die Haut nicht eingefettet hatte, einen ziemlich starken Ausschlag. Wenige Tage später wiederholte sie die Umschläge und legte zugleich die Blätter aufs linke Knie, in dem sie ebenfalls Schmerzen hatte. Am nächsten Morgen waren links alle Beschwerden verschwunden. Das rechte Knie hat sich so sehr gebessert, daß sie jetzt ohne Stock gehen kann. ———

Eine 76-jährige Frau mit jahrelanger **Hüftgelenks-Arthrose** trinkt seit dem Winter den von Ihnen empfohlenen Tee. Im Sommer von frischen Kräutern nebst der angegebenen Menge Schwedenbitter. Im Abstand von fünf bis sechs Wochen nahm sie zwei Zinnkraut-Sitzbäder (von dem hohen Zinnkraut aus den Sumpfwiesen). Nun hat sie beide Stöcke weggegeben und kann mit viel weniger Schmerzen ohne Hinken gehen. Ihre Freude ist groß. ———

In der Schweiz haben wir ganz herrliche Arnika gefunden, die ich mir in 40%igem Branntwein ansetzte. Ein paar Tropfen (mit Wasser verdünnt) haben ein heftiges **Sodbrennen** sofort genommen. **Schmerzen im Knie** sind mit dieser Einreibung verschwunden.«

*Frau Lydia W. aus B./BRD schreibt am 19. August 1981:*

»Zwischen Weihnachten und Neujahr im Jahr 1978/79 stand eine junge Frau wegen einer **Unterleibserkrankung** vor einer Operation. Sie nahm, um die Feiertage nicht im Krankenhaus verbringen zu müssen, dreimal am Tag je einen Eßlöffel Schwedenbitter und trank gleichzeitig drei Tassen Frauenmanteltee. Nach den Feiertagen ging es ihr besser; erst nach einem halben Jahr ging sie wieder zum Arzt. In dieser Zeit hatte sie fleißig Schwedenbitter eingenommen und Frauenmanteltee getrunken. Der Arzt meinte, eine Operation sei nicht mehr notwendig. Heute, nach über zwei Jahren, geht es ihr weiterhin gut. – Der Herr wird Sie für all das, was Sie für die Menschen tun, segnen!«

*Ein Arzt, Dr.-med. H., aus L./OÖ. schreibt am 1. September 1981 im »Neuen Volksblatt«, Linz/OÖ., u. a.:*

»Vor einigen Jahren ereignete sich bei der Einführung eines Medikamentes ein arger Zwischenfall. Ein Mittel gegen Rheumatismus kam auf den Markt, das sich auch recht gut bewährte. Eine Einreibung, fast geruchlos, die bald eine fühlbare Schmerzlinderung brachte. Man wollte dieses Mittel schon als großartigen Fortschritt preisen, als sich ganz plötzlich bei sehr vielen, die das Mittel verwendet hatten, eine Trübung der Augenlinsen einstellte: ein plötzlich auftretender **Grauer Star**. Zum Glück für die Betroffenen ging die Trübung bald zurück, selbstverständlich wurde das Mittel sofort aus dem Handel gezogen. – Es gibt chemische Substanzen, die eines Tages die Augenlinsen trüben können. Offenbar entstehen beim Abbau dieser Medikamente Zwischenprodukte, die den Stoffwechsel der Augenlinsen beeinträchtigen.

Seit Jahr und Tag weiß man, daß regelmäßiges Einnehmen von bestimmten Beruhigungs- und Schlafmitteln den Stoffwechsel der Augenlinsen stören kann. Ganz besonders im Verdacht stehen jene Schlafmittel, die aus Barbitursäure hergestellt werden. Aber auch die anderen modernen Mittel, die als sogenannte Psychopharmaka im Handel sind, können gewiß nicht als unbedenklich bezeichnet werden, wenn man sie jahre- und jahrzehntelang einnimmt.«

*Herr Ing. Hans-Werner Sch. aus H./BRD schreibt am 10. September 1981:*

»Ich konnte mit Ihren Ratschlägen aus der ‚Apotheke Gottes‘ die besten Erfahrungen machen. Eine **Dornwarze** auf meiner Fußsohle wurde trotz fünf Operationen nicht zum Verschwinden gebracht, doch der Schwedenbitter schaffte es. In meinem letzten Urlaub konnte ich bei einer Bergtour auf die Raxalpe ohne Schmerzen zu Fuß hinauf- und hinuntersteigen.«

*Frau Elisabeth B. aus L./BRD schreibt am 18. September 1981:*

»Unserem Zwillingssohn Andreas wurde mit 12 Jahren die rechte Niere wegen eines ‚Willms-Tumors‘ entfernt, ebenfalls Nebenniere und einige Lymphknoten. Nachher bekam unser Junge 22 Bestrahlungen; gleichzeitig wurde eine Chemotherapie durchgeführt. Bei den monatlichen Untersuchungen stellte man Anfang Februar 1981 einen Rundherd an der rechten Lunge fest, worauf Andreas im gleichen Monat in Köln an der Lunge operiert wurde. Das Urteil der Ärzte war vernichtend. Ein hühnereigroßer und ein kleinerer **Tumor** wurden entfernt sowie ein Teil des Rippenfells. Alle drei Lungenlappen waren übersät mit kleinen Tumoren, am Herzbeutel, Rippenfell und Zwerchfell wurden sie gleichfalls festgestellt. Die Ärzte haben alles, so gut es ging, weggeschabt. Man sagte uns jedoch, daß die linke Lunge, die Leber und auch noch andere Organe befallen wären. Man riet zu erneuter Chemotherapie, was wir jedoch auf Grund dieses vernichtenden Befundes ablehnten. Bei vorausgegangener Chemotherapie war Andreas mehrmals dem Tode nahe und Metastasen hatten sich trotz der Aggressivbehandlung gebildet.

Mitte März bekam ich Ihre ‚Apotheke Gottes‘. Von diesem Tag an verabreichte ich die angegebenen Tees, morgens nüchtern und abends je eine Tasse Zinnkrauttee, tagsüber Schafgarbentee und Kalmuswurzeln zum Kauen. Es ging aufwärts mit ihm, er bekam seinen vollen Haarschopf wieder, nahm stetig zu und konnte zur Schule gehen.

Anfang Juli wurde ein schwarzer **Fleck** hinter dem Brustbein entdeckt. Er bekam in kleinen Dosen 15 Bestrahlungen, nebenbei immer weiter die Tees. Da es nun frische Ringelblumen gab, habe ich neben dem Zinnkrauttee tagsüber Ringelblumen- mit etwas Schafgarbentee gemischt. Im Urlaub konnte ich Schafgarbe in der Mittagssonne pflücken, wovon er tagsüber fleißig Tee getrunken hat, neben frischem Zinnkrauttee morgens und abends. Er hat sich gut erholt und konnte mit uns wandern. Anfang September fand eine Nachuntersuchung statt. Der schwarze Fleck hinter dem Brustbein war beinahe weg. Die Ärzte in der Kinderklinik, wo Operation und die ganze Behandlung stattfand, waren erstaunt, daß auf den Lungen beiderseits nichts mehr zu sehen war. Inzwischen sind sieben Monate seit der Operation vergangen. Selbstverständlich werde ich die Tees weiter verabreichen. Seit einer Woche gebe ich morgens nüchtern eine Tasse Bärlapptee, um auch die Leber gut zu beeinflussen.«

*Frau Marianne H. aus E./NÖ. schreibt am 23. September 1981:*

»Es drängt mich, Ihnen zu danken, für die Hilfe, die mir Ihr Kräuterbuch gebracht hat! Ich war schon richtig verzweifelt, denn der Arzt verschrieb mir nach jeder Untersuchung immer stärkere Pulver, die ich nicht mehr vertrug, ganz verloren und verwirrt wurde. Ich habe mit den Tees wunderbare Erfolge erzielt. Ich bin 80 Jahre alt, habe von meinen Tabletten, ca. zehn am Tag, schon die meisten abgesetzt und fühle mich mit den Kräutertees den ganzen Tag wohl. Von den Herzpulvern nehme ich nur noch die Hälfte. Morgens beginne ich bereits mit dem Teetrinken und so konnte ich die Pillen gegen **Harnsäure, Wassersucht**, doppelseitige **Herzerweiterung, Angina pectoris** und **Verstopfung** absetzen. Es ist wie ein Wunder, ich kann wieder etwas spazieren gehen, ohne daß meine Füße wie Blei wären. Ich trinke Brennessel-, Ringelblumen- und Schafgarbentee; ich brühe ihn, lasse ihn nur kurz ziehen, gebe ein wenig Honig hinein und trinke ihn auch tagsüber verteilt, abends den Schlaftee und wenn ich mein Herz spüre, den Herzwein. Seit den drei Wochen, in denen ich die Kräuter anwende, hatte ich noch keinen Anfall von Angina pectoris. Ich lebe ganz allein und danke dem lieben Gott, daß er mich zu Ihrem Buch geführt hat.«

*Frau Gertrude J. aus B./Schweiz schreibt am 27. September 1981:*

»Eine Frau leidet schon zehn Jahre lang an **Hüftgelenks-Arthrose**. Nun haben wir ab Neujahr die Tee-kuren (siehe ‚Apotheke Gottes‘ unter ‚Arthrose‘), Schwedenbitter-Auflagen und Zinnkraut-Sitzbäder von frischen Kräutern, vier Bäder in einigen Wochenabständen, gemacht und jetzt läuft sie schon eine ¾ Stunde bergauf. Eine freudige Genugtuung!

Ein junges Mädchen hat kürzlich durch den Schwedenbitter ein häßliches Gesichts-**Ekzem** zum Ver-schwinden gebracht.

Eine vor zwei Jahren pensionierte Frau verlor plötzlich ihren Sohn durch Herzversagen. Dieser plötzliche Schock hat zu seelisch-körperlichen Störungen geführt. Auch hier hat der Schwedenbitter geholfen und nebenbei durch Bestreichen eine größere **Warze** an der Wange zum Verschwinden gebracht. Nun hat sie sich Ihre ‚Apotheke Gottes‘ gekauft. Sie ist eine begeisterte Helferin geworden und hat in ihrem Alter mit Helfen und Raten eine schöne Beschäftigung gefunden. Ein Nachbar mußte wegen **Harnverhaltung** in der Nacht den Arzt holen. In der nächsten Nacht wiederholten sich die Schmerzen, der Arzt setzte einen Dauerkatheder ein und riet zur baldigen Operation. Nun holte die Nachbarin das Kleinblütige Weidenröschen aus ihrem Garten. In kürzester Zeit war die Harnverhaltung behoben. Der Arzt war mit der Heilung sehr zufrieden.«


*Frau E. R. aus O./BRD schreibt am 27. September 1981:*

»Ihre Ratschläge haben mir viele Beschwerden genommen. Eine gute alte Bekannte (80 Jahre alt) hat durch Spitzwegerichtee und -sirup ihr jahrelanges **Asthma** ausgeheilt.

Ich habe ein kleines Dackelmädchen, das sich bei einem weiten Sprung einen Narbenbruch zuzog. Sie hatte bereits eine Operation gut überstanden. Nun kam eine zweite Operation, leider nicht ganz geglückt. Dann sah ich mir das Tier so an und dachte, was dem Menschen hilft, kann doch dem kleinen Hund nicht schaden. Mit einer selbst bereiteten Hirtentäschel-Essenz rieb ich die **Operationsnarbe** ein und gab ihm täglich dreimal einen Teelöffel Zinnkrauttee. Nach drei Monaten war die Narbe wieder verheilt. Nun streiche ich die Narbe täglich mit Ringelblumensalbe ein.«


*Frau Maria B. aus W./BRD schreibt am 2. Oktober 1981:*

»Bei meinem **Zwölffingerdarmleiden**, meiner **Magenschleimhautentzündung** hat mir der Schweden-bitter, verdünnt in Tee, sehr geholfen. Ich habe viele Jahre unter diesen Beschwerden gelitten, weder Tabletten, Tees oder feuchte Umschläge haben geholfen. Erst als ich begann, täglich abends einen Tee-löffel Schwedenbitter einzunehmen, habe ich alle Beschwerden verloren.«


*Frau Margot B. aus M. schreibt am 6. Oktober 1981:*

»Es hatte sich kürzlich bei mir eine große **Übelkeit** eingestellt, die alle Stunden mit **Durchfällen** begleitet war. Dank Ihrer ‚Apotheke Gottes‘ behob ich die Übelkeit mit Ringelblumentee, später Brennessel- und Schafgarbentee. Auch **Krämpfe** in den Unterschenkeln und Füßen stellten sich ein. Ich hatte mir im Sommer Bärlappranken gesammelt, die ich um Füße und Oberschenkel wickelte. Sie haben mir binnen fünf Minuten diese Krämpfe genommen. Ich ließ die Ranken jedoch noch einige Stunden um die Beine gewickelt. Vielen Dank!«


*Frau Fidelia E. aus Bad K./BRD schreibt am 9. Oktober 1981:*

»Nach starkem Brennen unter der Brust zeigte sich ein großer **roter Fleck**, den der Arzt als durchbro-chene Schweißdrüse bezeichnete. Es dürfte, meinte der Arzt, wegen meiner Zuckerkrankheit schwer heilen. Zweieinhalb Jahre lang behandelte ich unter ärztlicher Kontrolle den Fleck mit Waschungen lauwarmer Kamillosan-Lösung und Einstreichen einer Salbe, jedoch ohne jeglicher Besserung. Dann begann ich nach Ihrer ‚Apotheke Gottes‘ mit Waschungen von Käsepappel und Zinnkraut und strich mit Ringelblumensalbe ein. Die starke **Rötung** begann langsam abzuklingen, heute ist alles vollständig ausgeheilt.

———

Ich bin jetzt 88 Jahre alt, seit gut 20 Jahren **zuckerkrank**. Bei regelmäßigem Einnehmen von Medikamenten hielt sich der Blutzucker nach einem ersten Anfall von über 500 all die Jahre her um 260, 220 oder 200. Ich begann nach Ihrer Broschüre Nelkenwurz, Brombeer-, Heidelbeerblätter, Goldenes Fingerkraut, getrocknete Bohnenschalen täglich regelmäßig Tee davon zu trinken und abends je ein Stamperl Porrée-Wein. Kurze Zeit darnach sank der Blutzucker und ist bis jetzt überwiegend auf 110 oder 120. Nur bei starken seelischen Erregungen, wie Sorgen und Ärger, steigt er auf 160, sinkt aber bald wieder ab. Sehr zu schaffen macht mir auch der **Graue Star**. Ich bestreiche die geschlossenen Augen mit Schwedenbitter und nehme ihn auch regelmäßig ein. Schwedenkräuter-Auflagen auf meinem stark schmerzenden **Arthrose-Knie** nehmen spürbar die heftigen, stechenden Schmerzen. Ich weiß, daß man mit 88 Jahren sich mit dem Abbau des Körpers abfinden muß, aber die Anwendungen nach Ihren Hinweisen sind sichtbare, spürbare Erleichterungen. Für das alles wollte ich Ihnen einmal danken.«

*Frau Ursula W. aus K./BRD schreibt am 10. Oktober 1981:*

»Ich denke täglich voll Dankbarkeit an Sie, daß es mir einfach ein Bedürfnis ist, Ihnen zu schreiben. Aus dem Urlaub in Italien brachte ich einen **Virus** mit, ich lag vier Wochen mit hohem Fieber und kam anschließend einfach nicht mehr auf die Beine, immer müde und elend (ich bin 55 Jahre alt). Da kam meine Mutter aus Leipzig zu uns und berichtete von Ihrer ,Apotheke Gottes'. Gleich vom ersten Tag, als wir uns die Broschüre kauften, wurde Brennesseltee getrunken und Schwedenbitter angesetzt, beides wurde morgens und abends eingenommen: nun fühle ich mich zum Bäumeausreißen! Außerdem haben die Kräuter eine 32 Jahre währende **Stuhlverstopfung** behoben. Lange Jahre habe ich deshalb Medikamente eingenommen. Vielen meiner Bekannten habe ich Ihr Buch empfohlen, jedem hat es auf seine Weise geholfen. Daß Sie mit Ihren Erfahrungen vielen Menschen Mut machen, dafür will ich Ihnen danken.«

*Frau Anna M. aus S./BRD schreibt am 15. Oktober 1981:*

»Im Sommer habe ich mir Ihr Buch gekauft und darauf hin selbst viele Kräuter gesammelt, diese zusammengemischt − es ist ein wunderbarer Tee geworden. Ich hatte immer **Nachtschweiß**, mein Mann einen ganz harten **Husten**; alles ging damit weg. In den letzten Tagen bekam ich plötzlich ein starkes **Stechen** in der **Lunge**, bei jedem Atemzug kam Hustenreiz mit furchtbaren Schmerzen. Ich habe mir nach Ihrem Rezept Hirtentäschel-Essenz angesetzt, sie hat geholfen und sämtliche Schmerzen genommen.«

*Herr Georg M. aus M./DDR schreibt am 18. Oktober 1981:*

»Meine Tochter hatte seit langer Zeit heftige **Kopfschmerzen**, die mit vom Arzt verordneten Tabletten nicht wichen. Sie legte sich über Nacht Schwedenbitter-Auflagen auf Stirn und Augen. Am Morgen löste sich durch die Nase ein fester, gelber Pfropfen und alle Kopfschmerzen waren weg. Meine Tochter fühlte sich wie neugeboren. Es war eine **Stirnhöhleneiterung**, die vom Schwedenbitter geheilt wurde.«

*Frau Gertrude M. aus S./BRD schreibt am 31. Oktober 1981:*

»Zuerst möchte ich mich einmal für Ihre wunderbaren Ratschläge aus Ihrer ,Apotheke Gottes' bedanken. In meinem Bekanntenkreis wird sie sehr viel gelesen und auch darnach praktiziert.
Vor etwa einem halben Jahr bin ich eine Treppe hinuntergestürzt. Dabei hat sich eine **Steißbeinentzündung** und ein großflächiger **Bluterguß** eingestellt. Da ich deshalb ein Vierteljahr hindurch Injektionen bekam, die zu keiner Besserung führten, entschloß ich mich, nach Ihrem Rezept Hirtentäschel-Essenz herzustellen, die kranke Stelle damit einzureiben und täglich vier Tassen Frauenmanteltee zu trinken. Bereits nach zwei Tagen konnte ich mich schmerzlos vom Sessel erheben. Vorher hatte ich Schmerzen, daß ich hätte schreien können. Heute bin ich dank der regelmäßigen Behandlung mit den Kräutern schmerzfrei, kann wieder Gymnastik betreiben und wandern. Ich muß dazu noch sagen, daß ich im Wechsel mit Hirtentäschel-Essenz und Johanniskrautöl die Rückenpartien kräftig massiert habe und zwar so, daß die Muskeln weh taten. So sind die Muskelpartien wieder gut durchblutet und elastisch geworden. Eine böse **Darminfektion** habe ich in kurzer Zeit mit Ringelblumen-, Schafgarben- und Brennesseltee-Trinken verloren. Eine **Nervenentzündung** in den Armen behandelte ich mit Brennesseltee erfolgreich, eine **Nervosität** mit Johanniskraut-, Baldrian- und Hopfentee, zu gleichen Teilen gemischt.«

*Schwester M. A. aus dem Missionshaus in D./BRD schreibt am 8. November 1981:*

»Ich bin fast 40 Jahre Operationsschwester gewesen und habe über 20 Jahre Schülerinnen ausgebildet. Man hat die Tees immer etwas belächelt, bis mir Ihr Buch in die Hand fiel, ich aber auch darüber erst einmal lächelte. Nun aber habe ich mich eines Besseren belehren lassen und Sie glauben gar nicht, wie vielen ich damit schon helfen konnte. Ich bin seit Jänner in einem Altenheim. Immer wieder muß ich staunen, wieviel ich mit den Tees, Ringelblumensalbe usw. erreichen kann. Mindestens bei 20 Patienten habe ich durch den Misteltee den **Blutdruck** normalisieren können. Es ist eine Freude, jeden Tag neu zu entdecken, mit welch einfachen Mitteln man helfen kann.«

*Frau Erika K. aus Sch./BRD schreibt am 12. November 1981:*

»Ich bat Sie um ein Mittel gegen **Harnsäure**. Mein Mann trinkt daraufhin seit einem Vierteljahr täglich zwei Tassen Zinnkrauttee. Er hat damit ohne Tabletten die Harnsäure auf den Normalstand gebracht, was eine ärztliche Untersuchung ergab.«

*Pfarrer Alfons M. B. aus E./BRD schreibt am 20. November 1981:*

»Ich möchte Ihnen ein herzliches Vergeltsgott für den Hinweis sagen, bei **Blasenschwäche** ein Sitzbad mit einer Handvoll Kochsalz zu nehmen. Dieser Fingerzeig schenkte mir endlich einen erquickenden Schlaf. Ich muß in der Nacht nur einmal urinieren. Es gab Nächte, wo ich wegen Harndrang bis vierzehnmal aufstehen mußte.

Da ich meinte, es wäre nun gut, stellte ich das Sitzbad beiseite. So kam ein Rückfall, bei dem das Kochsalz nicht mehr wirkte. Ich trinke nun nach Ihrem Hinweis in der ‚Apotheke Gottes‘ Gelben Taubnesseltee, über Nacht angesetzt und morgens leicht angewärmt. Das brachte einen erfreulichen Erfolg: guten Schlaf und nur ein einziges Mal bei Nacht aufstehen. Ihr Buch ersetzt mir Arzt und Apotheke, ich empfehle es bei jeder Gelegenheit!«

*Frau Eva M. aus W. schreibt am 22. November 1981:*

»Meine Mutter, 75 Jahre alt, litt seit November 1978 unter argen **Ischias**schmerzen von der rechten Hüfte abwärts bis zu den Zehen. Nach Ihrer ‚Apotheke Gottes‘ setzte sich meine Mutter Schwedenbitter an und machte dann jeden Abend über den ganzen Fuß Schwedenbitter-Dunstumschläge. Die Schmerzen wurden schwächer und nach drei Monaten konnte meine Mutter wieder schmerzfrei gehen.«

*Frau Gertraud M. aus S./BRD schreibt am 24. November 1981:*

»Die kostbaren Schwedenkräuter haben kürzlich meine schwere **Gastritis** und **Darmbeschwerden** genommen, dazu **Erschöpfungszustände** und **Nervenschwäche** behoben und mir ein allgemeines Wohlbefinden gebracht. Desgleichen ist eine große **Geschwulst** in der Rückengegend, die nach einem bösen Treppensturz entstanden ist, durch Schwedenkräuter-Umschläge gänzlich verschwunden.

———

Auf dem linken **Ohr** habe ich eine Zeitlang kaum gehört. Ich behandelte es mit kleinen Watteeinlagen, die ich mit Schwedenbitter befeuchtete. Jetzt höre ich auf dem linken Ohr wieder ebenso gut wie auf dem rechten. – Lange Wochen hindurch litt ich unter **Schlafstörungen**. Beruhigungs- und Schlafmittel halfen nicht. Nun begann ich mit dem Schlaftee aus der ‚Apotheke Gottes‘, worauf sich sehr bald ein erholsamer Schlaf einstellte. ———

Durch Ringelblumentee verlor ich **Schmerzen im Dickdarm**bereich, durch Ringelblumensalbe **Hautentzündungen**, vor allem bösartigen **Juckreiz** in After- und Scheidengegend, der mich soviel geplagt hatte. Ebenso habe ich die Ringelblumensalbe erfolgreich bei **Pilzerkrankungen** angewendet.

———

Eine schwere **Erkältung** mit **Verschleimung** und **Husten** verlor ich mit Thymiantee. Er half mir erfolgreich bei einer **Magenverkrampfung** und zur allgemeinen **Nervenstärkung**.

———

Oft sind meine **Augen** durch langes Lesen, Malen oder sonstigen Arbeiten **überanstrengt**. Wohltuende Kamillentropfen, mit Wattebäuschchen aufgetragen und etwas einwirken lassen, haben zur Beruhigung und Stärkung der Augen beigetragen. Auch Kamillen-Augenbäder mit Tee und Kamillen-Dampfbäder bei **unreiner Haut** oder **Erkältung** wirken Wunder. Die Kamillentropfen, vor den Mahlzeiten eingenommen, bewirken großartige Linderung bei Magenkrämpfen.«

*Frau Josefa L. aus K./BRD schreibt am 25. November 1981:*

»In der vorigen Woche verletzte sich mein Mann am Fuß. Es wurden zwei Zehen so stark **gequetscht**, daß eine Zehe aufplatzte. Ich habe eine Nacht und einen Tag Umschläge mit Schwedenkräuter um den Fuß gemacht. Heute kann mein Mann wieder ohne Schmerzen gehen.

Ich selbst habe mir durch zuviel Maschineschreiben eine **Sehnenscheidenentzündung** am rechten Arm zugezogen. Ich konnte wegen dringender Arbeiten, die zu Forschungszwecken getan werden mußten, nicht aussetzen. Die bewährten Schwedenkräuter-Umschläge halfen auch hier.«

*Herr Gustav P. aus M./BRD schreibt am 26. November 1981:*

»Ihr Vortrag hat bei uns sehr positiv eingeschlagen und ist noch immer Tagesgespräch. Auch ein Arzt unseres Krankenhauses hat Ihren Vortrag gehört; er war sehr beeindruckt. Da er sich in letzter Zeit mit Heilkräutern beschäftigt, wird er sich auf Grund Ihres Vortrages noch intensiver damit befassen.

Beim Vorverkauf erzählte mir ein Herr, der sich unbedingt Ihren Vortrag anhören wollte, um Sie einmal persönlich kennenzulernen, da er Jahre hindurch übernormale **Zucker**werte hatte, die er trotz ärztlicher Behandlung nicht herunterbrachte. Nun haben sich diese Werte durch Anwendung Ihrer Hinweise unter ‚Zuckerkrankheit‘ in der ‚Apotheke Gottes‘ vollkommen normalisiert.

Sie werden sich gewiß an die Frau erinnern, die in Ihrer Autogrammstunde ihre Hand mit lokaler **Schuppenflechte** zeigte. Sie holte noch am gleichen Tag einen frischen Schöllkrautstock aus der Natur und bestrich sich sofort mit dem Saft die kranke Stelle. Am nächsten Vormittag habe ich diese Frau getroffen, die mir erzählte, daß sie auf das Einstreichen hin ihre Hand in der Nacht nicht gespürt habe und nach langer Zeit wieder gut geschlafen habe. Vor zwei Tagen kam sie in meinen Kräuterladen und zeigte mir die Hand. Die rissige und schuppige Stelle sowie auch die Rötung waren bis auf ein paar Streifen weg. Dieser Erfolg grenzt, wie sie meinte, an ein Wunder, weil vorher überhaupt nichts geholfen hatte.«

*Frau Martha R. aus L./OÖ. schreibt am 2. Dezember 1981:*

»Ein herzliches Vergeltsgott für die guten Ratschläge in Ihrer ‚Apotheke Gottes‘. Mein Mann litt jahrelang an kolikartigen **Schmerzen** im Ober**bauch**. Röntgenaufnahmen von Galle und Magen haben nichts erbracht. Plötzlich hatte er Blut im Stuhl und mußte ins Krankenhaus. Dort wurde festgestellt, daß eine geplatzte innere Krampfader die Blutung verursachte und auch ein **Leberleiden** vorhanden sei. Er wurde nicht operiert, mußte aber eine Menge Tabletten nehmen. Dann bekam ich Ihr Buch und holte Bärlapp aus dem Wald. Mein Mann trank regelmäßig Tee davon. Seitdem hat er keine Koliken mehr und auch der Leberbefund war bei der letzten ärztlichen Untersuchung bedeutend besser.

Mein 19-jähriger Sohn bekam vor zwei Jahren eine **Fistel** an der Wirbelsäule, 2 cm oberhalb des Afters. Er hatte furchtbare Schmerzen. Voriges Jahr im März wurde er das erstemal operiert, ein zweitesmal im Juli, doch es wurde nicht besser, es rann immer mehr Sekret heraus, so daß der Arzt im Herbst eine dritte Operation vorschlug, jedoch ohne Garantie. Nun trank mein Sohn von Oktober 1979 bis Mai 1980 nach Ihrem Buch drei Tassen Brennesseltee mit drei Teelöffel Schwedenbitter. Nun ist die Fistel von innen heraus zugeheilt. Bis jetzt war kein Rückfall, so daß wir fest daran glauben, daß mit Gottes Hilfe und seinen Kräutern sich alles zum Guten gewendet hat.«

*Herr Dr. Dirk A. aus B./BRD schreibt am 5. Dezember 1981:*

»Ihr Buch liegt auf meinem Tisch zur ständigen Hilfe. Spitzwegerich (Plantago lanceolata) habe ich als 10%ige Salbe (Weleda) in mein ständiges Programm bei **Fußleiden** (Ballenschmerzen infolge Durchtreten etc.) mit aufgenommen, hilft prima!

Neulich kam ein alter Herr mit einem ganz plötzlich aufgetretenen erheblichen **Hodentumor** zu mir. Der Urologe wollte operieren. Nun verordnete ich ihm täglich zweimal warme Ringelblumen-Sitzbäder und innerlich Pulsatilla D 3 (Kuhschelle), eine Woche später Spritzen von der schwarzen Nieswurz (Helleborus niger), was eine deutliche Besserung ergab. Jetzt ist die Schwellung sehr zurückgegangen, der Patient fühlt sich sehr wohl. Besonders angenehm und hilfreich empfindet er die Ringelblumen-Sitzbäder. Ohne Ihr Buch wäre ich nicht darauf gekommen, so etwas zu empfehlen. Der Vollständigkeit halber muß ich sagen, daß er auch einige Mistel-Injektionen bekommen hat, da auch ein hochgradiger Verdacht auf eine bösartige Erkrankung bestand. Solch eine Kombination von Kräutern äußerlich und Homöopathie innerlich halte ich für ideal.«

*Herr Martin G. aus L./BRD schreibt am 11. Dezember 1981:*

»Gegen meine ununterbrochene **Verschleimung** verwendete ich Käsepappeltee im kalten Ansatz. Nach einigen Wochen war ich zur Gänze geheilt.«

*Frau Rita S. aus M./BRD schreibt am 23. Dezember 1981:*

»Ich möchte Ihnen meine höchste Hochachtung aussprechen und mich herzlich bedanken, für alles, was Sie durch die wertvolle Kräuterbroschüre der kranken Menschheit wieder entdecken halfen und vor allem durch den steten Hinweis auf die Güte Gottes und seiner heiligen Mutter. Im September gelangte die ‚Apotheke Gottes‘ in meine Hände. Ich sammelte sofort Brennessel und andere Kräuter. Mit einer vierwöchigen Teekur verlor ich nebenbei eine seit vier Jahren vergeblich bekämpfte **Salmonellen-Infektion**, die ich mir durch Übertragung beim Schwimmen geholt hatte. Auch meine jahrelangen **Durchfälle** und mein Allgemeinbefinden haben sich sehr gebessert.

————

Und nun ein Bericht, der wie ein Wunder klingt: Im November 1981 war meine 82-jährige Mutter gestürzt und hatte einen schlimmen **Bluterguß**. Man hatte sie in einer Klinik mit Salbenverband behandelt. Nach zehn Tagen entließ man sie mit zwei Krücken, sie konnte kaum gehen. Ich hatte im Herbst Beinwellwurzel-Tinktur angesetzt und machte ihr täglich damit Umschläge. Das ganze linke Bein war vom Knie bis zur Ferse schwarz, fast kein heller Fleck mehr. Nach zehn Tagen war alles weg und nach zwei Wochen mit den Umschlägen und Auftragen von Ringelblumensalbe sind Bein und Haut schöner als vor dem Unfall. Die größte Freude meiner Mutter war, daß sie zu den Weihnachtsfeiertagen wieder zur Kirche gehen konnte. Auch meine beiden leiblichen Ordensschwestern haben mir von rascher Hilfe mit den Schwedenkräutern berichtet. So könnte ich noch von einer Reihe weiterer Erfolge berichten. Ich will Ihnen Vergeltsgott sagen und Ihnen selbst Gottes Segen und Kraft wünschen für die große Last, die es Sie gekostet hat, alle Angriffe zu ertragen. Wir beten für Sie.«

*Herr Karl von W.-Z. aus H./BRD schreibt am 3. Jänner 1982:*

»Es gibt in der DDR schon eine Menge Menschen, die Ihr Buch schätzen gelernt haben. So schreibt eine Bekannte, Frau Emmi B. aus F./DDR am 9. Dezember 1981: Ich bin so dankbar über die ‚Apotheke Gottes‘. Auch aus Hamburg hat es mein Schwager mitgebracht. Unsere Oma mußte mit **Nervenschmerzen** viel aushalten. Ich gab ihr Zinnkrauttee, der jedoch nicht half. Mit Schafgarbentee ist sie jetzt schon lange ohne Schmerzen. Sie trinkt den Tee weiterhin jeden Abend.

Ich hatte mit der **Schuppenflechte** an beiden Füßen zu tun. Ich war lange Zeit in Behandlung einer Hautärztin. Ich aß nach dem Kräuterbuch täglich fünf bis sechs Löwenzahnstengel. Meine Füße sind glatt geworden und ich brauche keine Salbe mehr. Sie können sich wohl vorstellen, wie froh wir alle sind.«

*Frau Gerlinde D. aus Wien schreibt am 8. Jänner 1982:*

»Mit einer Teemischung aus Ringelblumen, Schafgarben, Frauenmantel und Brennesseln sowie zwei Schwedenbitter-Umschlägen pro Woche habe ich vor 2½ Jahren eine **Zyste** nach 6 Wochen zum Verschwinden gebracht. Meine Mutter hat mir aus Ihrem Buch dieses Rezept zusammengestellt. Mein Arzt hat sich das Rezept aufgeschrieben, da er es nicht fassen konnte, wohin die Zyste gekommen war.«

*Herr Ernst Sch. aus N./BRD schreibt am 10. Jänner 1982:*

»Zuerst möchte ich mich bei Ihnen bedanken. Wenn wir vor zwei Jahren nicht Ihre Kräuterbroschüre ins Haus bekommen hätten, wären mein Vater und ich (33 Jahre) wohl kaum mehr am Leben. Mein Vater wurde an Darmkrebs operiert und bekam einen künstlichen Ausgang. Nach der Operation funktionierte die **Prostata** nicht mehr. Wenn meine Mutter nicht den Tee des Kleinblütigen Weidenröschens ins Krankenhaus gebracht hätte, wäre er auch an dieser operiert worden. Ein Arzt meinte zu meiner Mutter, daß mein Vater, da auch seine Leber befallen wäre, höchstens noch ein halbes Jahr leben würde. Heute, nach zwei Jahren, lebt mein Vater immer noch und fühlt sich wohl, dank Ihrer Broschüre.

Ab meinem 22. Lebensjahr verspürte ich einen leicht stechenden Schmerz am linken Nebenhoden. Eine Untersuchung brachte keinen Befund. Ich lebte die ganzen Jahre in der Furcht, Hodenkrebs zu haben. Im Frühjahr 1980 hatte ich monatelang einen stechenden **Schmerz in der Stirn**, kommend und gehend. Durch Ihre Broschüre bekam ich den Schmerz mit Teetrinken wieder weg. Auch **Darmschmerzen** konnte ich mit Kalmustee ausheilen. Im Frühjahr 1981 bekam ich in der **Gallen**gegend starke **Schmerzen**, die ich mit Kalmustee und Schwedenkräuter-Auflagen heilte. Nun bekam ich auf der rechten Brustseite einen **roten** porigen **Fleck**, der bei leichtem Drücken blutete. Im Sommer 1980 und 1981 machte ich frische Spitzwegerich-Auflagen auf die Hoden, ab Herbst 1981 Umschläge mit Spitzwegerich-Essenz (Blätter in Alkohol angesetzt). Darnach hatte ich keine Schmerzen im linken Nebenhoden mehr, nur die rechte Nebenhode schwillt noch etwas an. Wir essen seit einem knappen Jahr möglichst biologisch, auch sorgt eine angeschaffte Haussauna für eine Körperentgiftung.«


*Frau Elfriede D. aus B./DDR schreibt am 10. Jänner 1982:*

»Mein Mann litt in den vergangenen Wintermonaten unter starken Knieschmerzen. Das Knie war geschwollen und er war sehr gehbehindert. Es hieß ‚baldmöglichst Operation‘, aber infolge Platzmangel in der Klinik wurde sie hinausgeschoben. Nun machte ich fortlaufend Umschläge mit Ringelblumensalbe und den Rückständen davon. Wir ließen alles über Nacht einwirken. Die **Knie-Geschwulst** ging zurück, ebenso die Schmerzen, er konnte wieder normal gehen. Die nächste Untersuchung ergab: Operation zur Zeit nicht nötig. Wie froh wir waren, kann ich kaum beschreiben. Mein Mann hat noch zwei Jahre bis zu seinem Rentenalter. Später bekam er einen **Hautausschlag** an der linken Gesichtshälfte. Wieder half die Ringelblumensalbe, auch Schöllkraut setzte ich ein. Wie froh bin ich nun, so lästiges ‚Unkraut‘ in meinem Garten zu haben! Ein herzliches Vergeltsgott!«


*Herr Harald K. aus W./BRD schreibt am 12. Jänner 1982:*

»Herzlich bedanken möchte ich mich für die großartige Hilfe, die wir durch die Ringelblumensalbe erfahren haben. Meine Mutter sollte operiert werden, sie litt jahrelang an dicken **Krampfadern**. Durch die Ringelblumensalbe sind sie so gut wie verschwunden.«


*Frau Karoline M. aus I./Tirol schreibt am 17. Jänner 1982:*

»Seit 20 Jahren hatte ich am Kinn ein **warzenartiges Gewächs** in Kirschengröße. Nun hat mich Ihr Kräuterbuch angeregt, dieses Gewächs mit Schöllkrautsaft zu betupfen. Das Schöllkraut wird auch Warzenkraut genannt. Ich holte es mir aus meinem Garten unter dem Schnee hervor. Innerhalb einer Woche ist das Gewächs zu meiner großen Freude verschwunden.«


*Schüler Heribert-Christian R. aus B./BRD schreibt am 18. Jänner 1982:*

»Ich leide an **Schlaflosigkeit**. Abends bin ich hellwach und morgens sehr müde. Vorgestern abends nahm ich einen Teelöffel voll Schwedenbitter in einer Tasse Kamillentee verdünnt. Ich hatte sofort ein gutes Gefühl im Magen, auch konnte ich sogleich einschlafen. Am nächsten Abend geschah das gleiche. Heute Morgen hatte ich **Kopfweh**. Ich strich mir mit Schmalz die Stirne ein und tupfte mit einem Wattebausch Schwedenbitter darauf. Nach kurzer Zeit waren die Kopfschmerzen verschwunden. Innerhalb von drei Tagen hervorragende Heilwirkung durch die Schwedenkräuter!«

*Schwester Conradine aus S./BRD schreibt am 18. Jänner 1982:*

»Mitte November hatte ich eine **Virus-Grippe** und eine **Entzündung der Bauchspeicheldrüse**. Hohes Fieber wechselte mit Schüttelfrost. Ich war dem Tode nahe und hatte kaum Hoffung, Weihnachten zu erleben. Mund und Rachen waren wund, ich konnte kaum sprechen. Da nahm ich viermal täglich einen Schluck von der Ringelblumen-Tinktur, hielt sie für eine Minute im Mund und schluckte sie langsam. Das half. Daß ich wieder auf den Füßen bin, danke ich vor allem auch dem Brennesseltee und den Schwedenkräutern.

Eine Bekannte gab mir von ihrem gesammelten Birkenblättervorrat einen Teil ab. Ich bereitete mir ein Vollbad, das mir ein erfrischenden Gefühl gab. Ich hatte mehr als zwölf Jahre hindurch ein lästiges **Ekzem** am Hinterkopf. Es verursachte einen erregenden Juckreiz und zeigte dicke Krusten. Ich habe alles mögliche versucht, aber nichts half. Nach dem Birkenblätter-Vollbad merkte ich plötzlich eine Besserung. Ich bereitete mir ab nun täglich einen Birkenblättertee und hielt damit das Ekzem stets feucht. Nach zehn Tagen ist das Übel verschwunden, selbst die Röte. Wo doch der liebe Gott alle möglichen Kräfte aufgestapelt hat!«

*Pfarrer Alfred R. aus G./BRD schreibt am 20. Jänner 1982:*

»Der Vater einer bekannten Frau hatte schwerste **Asthma**-Anfälle und zwar so, daß er vor Atemnot vom Stuhl fiel. – Da riet ein Apotheker, Zinnkraut zu sammeln, zu trocknen, zu verbrennen und den Rauch einzuatmen. Das wirkte in wenigen Minuten bei Anfällen.

Seit eh und je nehme ich Schlämmkreide zum Zähneputzen, auf die ein Tropfen Pfefferminzöl gegeben wird. Mehr als ein Tropfen wäre zu scharf.«

*Frau Hiltrud S. aus N./BRD schreibt am 28. Jänner 1982:*

»Ich habe Ihnen unendlich viel zu verdanken. Ich stand am Abgrund des Lebens: am 9. Jänner wollte ich mich vergiften, es war für mich eine beschlossene Sache. Ich weiß, daß es eine schwere Sünde ist, aber ich sah keinen anderen Ausweg, denn seit 17½ Jahren leide ich an einer rezidivierenden **Pyelonephritis (Nierenerkrankung)**. Ich habe alle Antibiotika und Sulfonamide durch, ich bin gegen alles resistent geworden. Das war eine schlimme Erkenntnis für mich! Ich habe qualvolle Jahre hinter mir, das Leben war mir, gepeinigt von Schmerzen und tiefen Depressionen, zur Hölle geworden. Vor ca. eineinhalb Jahren gab es einen Lichtblick: eine Bekannte riet mir, reines Terpentinöl einzunehmen. Schlagartig besserte sich mein Zustand. Aber im Laufe der Zeit mußte ich zu einer immer größeren Dosis greifen, wenn ich schmerzfreie Perioden haben wollte. Das war keine Endlösung für mich, zumal ich dauernd furchtbar erbrach und schwere Durchfälle hatte. Ich nahm zuletzt fünf bis sechs Eßlöffel pro Tag und weiß nicht, wie sehr dies meinem Körper geschadet hat. Das war mir völlig egal, da ich es vor Schmerzen nicht mehr aushielt. Am 8. Jänner erwachte ich nachts um 3 Uhr mit schlimmsten Schmerzen, obwohl ich am Vortag fünf Eßlöffel voll Terpentinöl eingenommen hatte. Da wurde mir schlagartig klar, daß auch dieses Mittel nicht mehr half. Die Panik, in die ich geriet, war so groß, daß ich beschloß, endgültig Schluß zu machen. Das war kein Leben mehr! Am nächsten Vormittag, in meiner größten Verzweiflung, erhielt ich einen Brief von meiner Kusine aus der DDR, der die entscheidende Wendung in meinem Leben bringen sollte. Ich war gerade dabei, mit meinem Mann das Haus zu verlassen. Meine Kusine schrieb, sie habe das Buch ‚Gesundheit aus der Apotheke Gottes‘ gelesen und bat mich flehentlich und eindringlich, mir dieses Buch sofort zu kaufen. Ich stutzte: am Vorabend hatte mir eine Verkäuferin im Laufe eines Gespräches denselben Buchtitel auf einen Zettel geschrieben, den ich nun aus meiner Jackentasche zog. Auch mein Mann staunte. Plötzlich wußte ich, das war kein Zufall, das war die Hand Gottes, die mir den richtigen Weg wies. Mein Mann kaufte mir das Buch, am Nachmittag las ich es und war fasziniert. Am späten Abend besorgte mein Mann Tee, ich trank ca. zwei bis drei Tassen noch am selben Abend und verlor darauf fast vier Liter Gewebeflüssigkeit. Das war schon einmal eine enorme Erleichterung. Zwei Tage später fühlte ich plötzlich ein behagliches Gefühl der Besserung. Es war mir, als ob ein Druck von mir wich. Plötzlich war ich voller Freude, alle Depressionen waren fort. Ich dankte Gott für diese Wendung. Heute vor 20 Tagen begann ich mit dem Teetrinken. Ich fühle mich gut, die **Kopfschmerzen**, die mich ständig quälten, waren durch tägliches Trinken von vier Tassen Brennesseltee weg. Es ist wie ein Wunder! Mein Urin weist keine Bakterien auf. Ich danke dem Schöpfer jeden Tag, daß er Menschen wie Sie zum Segen anderer Menschen werden läßt. Möge Gott Sie behüten!«

*Frau Gisela K. aus W./OÖ. schreibt am 29. Jänner 1982:*

»Im Sommer 1981 bekam ich eine äußerst schmerzhafte **Gürtelrose**. Ich war sehr verzagt. Ich habe mir nach Ihrer ‚Apotheke Gottes‘ die Hauswurzblätter entsaftet und den Saft vier- bis fünfmal am Tag auf die schmerzenden Stellen aufgetragen. Es trat sofort eine Erleichterung ein und es grenzt nahezu an ein Wunder, daß die fast unerträglichen Schmerzen binnen acht Tagen vergingen, gleichfalls die roten Flecken. Ich habe dann noch weitere 14 Tage mit dem Saft die nun völlig abgeheilten Stellen behandelt.«

*Herr Wilhelm J. aus B./BRD schreibt am 7. Februar 1982:*

»Seit Herbst 1981 litt ich an einer gutartigen **Prostata-Geschwulst** und mußte einen Dauerkatheter tragen. Im Jänner erhielt ich Ihr Buch und begann Tee vom Kleinblütigen Weidenröschen zu trinken. Beim nächsten Katheterwechsel stellte sich heraus, daß der Urin schmerzfrei und normal abging. Ich möchte Ihnen für diese einfache und ungefährliche Hilfe zur Beseitigung eines sehr unangenehmen Leidens meinen Dank aussprechen. Ich bin 83 Jahre alt, konnte mich zu einer Operation nicht entschließen.«

*Frau Maria G. aus M./BRD schreibt am 9. Februar 1982:*

»Ich hatte schon längere Zeit hindurch blutende **Hämorrhoiden**, die sich nach einem Unterschenkelbruch stark verschlimmerten. Bei jedem Stuhlgang traten Knoten mit starken Blutungen heraus. Als ich Ihr Buch bekam und die Sache sich nicht besserte, begann ich den unter ‚Darmkrebs‘ angeführten Tee zu trinken, allerdings nur einen ¾ Liter mit Beigabe von Schwedenbitter. Zusätzlich nahm ich noch sechs Schluck Kalmuswurzeltee. Jetzt ging es aufwärts. Heute kann ich mit großem Dank sagen, daß ich trotz meiner 78 Jahre gut beisammen bin und meinen Darm wieder unter Kontrolle habe.«

*Frau Klärly H. aus L./Schweiz schreibt am 14. Februar 1982:*

»In unserer Familie wirken sich die Schwedenkräuter gut aus. **Insektenstiche**, die bei den Enkelkindern und mir jedesmal starke Entzündungen hervorrufen, vergehen mit Bestreichen einiger Tropfen Schwedenbitter. Sogar bei **Zeckenbissen** hatten wir den gleichen guten Erfolg.

Mein Mann stürzte sehr unglücklich aufs Schienbein. Erst sah es gar nicht so schlimm aus, jedoch am anderen Tag war rund ums Bein eine dicke **Geschwulst**. Mit einer Schwedenkräuter-Auflage war die Geschwulst in ein paar Stunden weg.

Bei einer **Erkältung** hatte ich Fieber mit starken Hals- und Ohrenschmerzen. Ich befeuchtete Wattebäuschchen mit Schwedenbitter, die ich über Nacht in die Ohren einführte, gleichzeitig legte ich einen Schwedenkräuter-Umschlag um den Hals. Am Morgen war alles wie weggeblasen. Es schien wie ein Wunder. – Wir werden uns nun auch in den Bergen manches Heilkräutlein holen und trocknen, empfinden jedes Blümchen und Gräslein als ein Wunder Gottes.«

*Frau Toni B. aus G. in Tasmanien schreibt am 19. Februar 1982:*

»Ich habe seit acht Jahren, nach einer Operation, wobei der Dünndarm erheblich gekürzt wurde, **Magenbeschwerden** und ständigen **Durchfall**. Ich war immer müde und kraftlos. Der Arzt verschrieb viele Medikamente, aber nichts half. Ich getraute mich schon nichts mehr essen und schon gar nicht, wenn ich ausging, da alles gleich ohne Kontrolle durchging. Meine Schwester sandte mir aus Österreich die ‚Apotheke Gottes‘ und ein Päckchen Schwedenkräuter, die ich mir sofort ansetzte. In einigen Wochen fühlte ich mich im allgemeinen kräftiger. Ich nahm zweimal am Tag je einen halben Teelöffel Schwedenbitter, die Beschwerden im Magen verschwanden, der Durchfall jedoch änderte sich wenig. Nach einem weiteren Studium des Buches ließ ich mir aus Österreich ein Päckchen Kalmuswurzeln schicken, die hier leider nicht erhältlich sind. Sechs Schluck am Tag – und nach Verbrauch dieses Päckchens ist diese langjährige Trübsal tatsächlich vorbei. Ich kann nun wieder alles essen, ohne daß ich dauernd rennen muß. Das Leben freut mich wieder, weil ich nun viel mehr Kraft habe und in unserem großen Garten wieder arbeiten kann. Ab nun werden auch Heilkräuter angebaut. Ich wünschte nur, daß Ihr wunderbares Buch auch hier in Australien in englischer Sprache zu bekommen wäre, da hier schon viel Interesse für Heilkräuter besteht.«

*Herr Georg K. aus B./BRD schreibt am 26. Februar 1982:*

»Ich habe bis Februar 1981 viele Medikamente wegen Erkrankungen des **Magens**, der **Prostata** und wegen **Hodenschmerzen** nehmen müssen. Als ich Ihre ‚Apotheke Gottes‘ bekam, trank ich für den Magen sechs Schluck Kalmustee, gegen Prostata und Hodenschmerzen Tee vom Kleinblütigen Weidenröschen. Im April-Mai waren die Schmerzen weg. Bis heute bin ich beschwerdefrei und ohne Schmerzen.«

*Frau Pia L. aus D./BRD schreibt am 26. Februar 1982:*

»Es drängt mich, Ihnen Anerkennung und meine Dankbarkeit für Ihre so überaus wertvolle Schrift ‚Apotheke Gottes‘ auszusprechen. Ich konnte durch Ihr Buch oftmals Ihre Ratschläge weitergeben und auch ich selbst durfte Hilfe erfahren. Ich habe am Rücken seitlich ein **Muttermal**, das sich lange Jahre nicht rührte. Bei der Geburt meines zweiten Kindes wuchs es und belästigte sehr. Ich bekam Bestrahlungen und wurde ausdrücklich vom Arzt angewiesen, das Mal nie entfernen zu lassen. Seit zwei Jahren bildet sich immer wieder eine starke Kruste, die abfällt und sich wieder neu bildet, dabei einen starken Juckreiz auslöst. Mein Arzt schickte mich zu einem Hautarzt, der Teile der Kruste wegnahm und zu einer Operation riet (der damalige Arzt ist leider tot). Nun behandle ich die Stelle samt Umgebung mit der in Ihrem Buch angegebenen Ringelblumensalbe: die Spannung und der ungeheure Juckreiz haben sich gelegt und das Mal sieht verhältnismäßig sauber und gut aus. Ich werde die Behandlung mit der Ringelblumensalbe weiterführen. Gott vergelte Ihnen, was Sie an den Menschen Gutes tun!«

*Frau Lilo E. aus M./BRD schreibt am 1. März 1982:*

»Seit einem Jahr habe ich Ihre Bücher und bin begeistert. Mit 20-tägigem Betupfen einer **Dornwarze** mit Schwedenbitter war sie restlos verschwunden, meine **Unterleibsentzündung** war nach Trinken von Schafgarbentee, zwei Zinnkraut-Sitzbädern und zwei Schwedenkräuter-Auflagen ausgeheilt. Ein herzliches Dankeschön für alle Ihre Mühen, die Sie sich schon gemacht haben; auch für Ihren Mut, weiterhin für diese gute Sache zu kämpfen.«

*Herr Georg S. aus F./BRD schreibt am 2. März 1982:*

»Ich war seit drei Jahren an **Prostata** erkrankt, war auch in Behandlung eines Urologen. Nun habe ich durch Ihre ‚Apotheke Gottes‘ zum Kleinblütigen Weidenröschen gefunden und trinke täglich eine Tasse Tee davon. Darauf war ich dann bei einem jungen Urologen, der zu mir folgendes sagte: ‚Hätten Sie den Tee nicht getrunken, müßten Sie operiert werden!‘ Nun Vergeltsgott für Ihr Buch, das Weidenröschen hat mir sehr geholfen.«

*Frau Centa W., in Kanada lebend, schreibt von ihrem Kuraufenthalt in G./OÖ. am 9. März 1982:*

»Vor drei Jahren hatte ich **Magengeschwüre**, konnte kaum noch etwas essen, war schwer krank und magerte mehr und mehr ab. Da besuchte mich eine Bauersfrau aus Österreich, die mit ihrer Familie ebenfalls nach Kanada ausgewandert war. Die Österreicherin sagte: ‚Laß all die Pillen weg und trinke Tee, ich geb dir das Kräuterbuch von Maria Treben, lies es durch und such dir die Kräuter für deine Krankheiten.‘ Die Käsepappel hatte ich gottlob in meinem Garten und so begann ich, Tee davon zu trinken und habe mich langsam erholt.«

*Frau Gertrude J.-L. aus B./Schweiz schreibt am 14. März 1982:*

»Ein 67-jähriger Mann erhielt bei einer Arztkontrolle den Bescheid, daß bei ihm ein **Kropf** operiert werden muß. In Ihrer ‚Apotheke Gottes‘ fand er unter ‚Kropf‘ den Hinweis, mit Labkrauttee zu gurgeln. Er begann nun fleißig damit und begab sich nach einigen Wochen zur Röntgen-Aufnahme, wobei jedoch kein Kropf mehr festzustellen war.
Mein Augenlicht ist nach wie vor wunderbar. Ich stand mit einer **Netzhautablösung** vor der Erblindung. Ihr Hinweis unter ‚Schwedenkräuter‘, täglich eine Stunde lang Umschläge damit bei geschlossenen Augen zu machen, hat vor zwei Jahren alles wieder in Ordnung gebracht.«

*Frau Martha G. aus St./BRD schreibt am 14. März 1982:*

»Mein Sohn bekam Anfang Dezember 1981 Schmerzen im Darm, die sich von Tag zu Tag steigerten. Eine ärztliche Untersuchung ergab einen **Darmriß**, eine Gewebeentnahme stellte Wucherungen fest, die eine Operation notwendig machten. Sitzen, Stehen und Gehen waren für ihn kaum möglich. Ich bereitete täglich zwei Tassen Ringelblumentee mit etwas Kamille, außerdem Brennesseltee mit zweimal täglich einen Teelöffel Schwedenbitter. Die Schmerzen vergingen, aber man bestand wegen der **Darmwucherungen** auf die Operation. Die Schmerzausschaltung mußte über den Rücken gemacht werden, da mein Sohn eine Vollnarkose wegen seines kranken Herzens nicht vertrug. Vor seiner Entlassung aus dem Krankenhaus fragte der Patient den operierenden Professor, welcher Befund über das Eingesandte zurückkam. Die Antwort des Arztes: ,Ich habe nichts gefunden, konnte also auch nichts einsenden!' Welche Freude bei der Familie! Und gewiß freuen Sie sich mit uns, daß Ihre Hinweise in der ,Apotheke Gottes' wieder Gutes bewirkt haben.«

*Frau Adelheid H. aus N./BRD schreibt am 20. März 1982:*

»Zu Weihnachten schenkte man mir die ,Apotheke Gottes', von der ich sehr begeistert bin. Seit 16 Jahren belastet mich eine rote **Schuppenflechte**. Seit ich Misteltee trinke, ist sie bedeutend besser geworden und juckt nicht mehr. Allerdings habe ich Bohnenkaffee abgesetzt, obwohl er mir sehr fehlt.

Nun möchte ich Ihnen noch ein wunderbares Mittel gegen **Schnupfen** bekanntgeben, das durch Ihr Buch recht vielen Menschen helfen möge! Es ist eine Scheibe Butterbrot, auf die geriebener Meerrettich (Kren) gestrichen wird. Ein Kratzen im Hals — ein solches Brot bewahrt vor einer beginnenden **Erkältung**. Jeden Herbst hole ich Meerrettich aus dem Garten, wasche und putze ihn und reibe ihn in der Zentrifuge. Nun wird der Saft und der geriebene Kren wieder vermischt und in Marmeladegläser gedrückt, gut verschlossen und im Kühlschrank aufbewahrt.

Unlängst begann bei einer Arbeit meinem Mann die Nase zu laufen, es tropfte wie ein Wasserhahn. Ich bereitete sofort das Brot, wie oben angeführt. Zehn Minuten später war der Schnupfen weg! Eine Nachbarin (Tankstellenbesitzerin, daher täglich im Freien) hatte eine ganz schwere **Mandelentzündung**. Auch hier half diese Brotscheibe über Nacht. Vielen schon habe ich dazu geraten, alle waren begeistert!«

*Frau Elfriede P. aus H./BRD schreibt am 24. März 1982:*

»Wir sind von Ihrem Buch, das wir 1981 aus dem Urlaub mitgebracht haben, sehr begeistert; wir haben auch selbst schon gute Heilerfolge erzielt. Zunächst habe ich meine **Schlaflosigkeit** mit dem guten Schlaftee, die **Darmstörung** mit Kalmuswurzeltee und den **Bluthochdruck** mit Misteltee geheilt. Bei meinem Mann behandelte ich eine **Geschwulst am Arm** mit Schöllkraut, um die Hälfte ist sie schon zurückgegangen. In unserem Bekanntenkreis haben wir Ihr Buch allseits mit Erfolg empfohlen.«

*Frau Johanna R. aus L./BRD schreibt am 31. März 1982:*

»Mein Mann hatte zu Weihnachten **Magenbeschwerden** und nahm 12 Pfund ab. Anhand einer Untersuchung wurde er operiert und nach 14 Tagen aus dem Krankenhaus entlassen. Es wurde eine Ernährungsfistel eingesetzt, da **Magen**, Bauchspeicheldrüse, Leber, Milz, Zwölffingerdarm und Speiseröhre von **Krebs** befallen sei. Man gab ihm nur noch eine Lebenserwartung von 2 Wochen bis 2 Monaten, längstens aber von einem Jahr. Mein Mann war nach der Operation sehr schwach, schlief viel, und dreimal am Tag ging er mit mir im Garten spazieren. Er aß dreimal am Tag nur wenig, behielt aber alles. Ich kochte die Breikost. So nahm er in den ersten vier Wochen nach der Operation nicht mehr ab.

Nun bekam ich durch Zufall Ihre ,Apotheke Gottes'. Ich begann sofort mit den Schwedenkräuter-Umschlägen, mit dem Tee aus ⅓ Ringelblumen, ⅓ Johanniskraut und ⅓ Brennessel, einen Liter pro Tag, schluckweise verteilt, in dem ich dreimal je einen Teelöffel Schwedenbitter gab. Wir beobachteten die Wirkung und stellten fest, daß mein Mann Fortschritte machte. Er konnte bereits kleine Spaziergänge machen. Plötzlich klagte mein Mann über Leibschmerzen. Als wir ihn füttern wollten, fanden wir die Ernährungsfistel nicht. Nun mußte mein Mann abermals ins Krankenhaus. Die Fistel war 20 cm lang, oben mit einer Gabelung. Obgleich mit Pflaster befestigt, wurde sie in den Darm gezogen. Nun war ein

Aufschneiden der ganzen Bauchdecke nötig. Er liegt im gleichen Krankenhaus, bei den gleichen Ärzten und Schwestern. Und nun werden auch Sie sicherlich staunen: Ärzte und Stationsschwestern meinten: ‚Wir konnten es gar nicht fassen, daß dies Herr R. ist, wir glaubten ihn bereits am Friedhof. Nein, sieht er gut aus, er hat auch nichts abgenommen.' Sie überzeugten sich erst in der Kartei, ob das der gleiche Patient ist. Ich wurde gefragt, was ich bloß für eine Methode eingesetzt habe und ob mein Mann überhaupt noch essen und schlucken konnte. Da staunten sie, als ich sagte, daß mein Mann nach Ihrer Methode aus der ‚Apotheke Gottes' verfahre, und ich mußte viel von dem Buch und der Pflege erzählen. Und nun staunen alle: mein Mann ist drei Tage nach der neuerlichen Operation wieder so frisch, daß er sich selbst beim Waschtisch rasiert und am Gang spazieren geht.

Ich will die Kräuter weiter handhaben, wenn mein Mann aus dem Krankenhaus nach Hause kommt. Wir beide sind sehr glücklich!«

*Frau Gisela W. aus F./BRD schreibt am 1. April 1982:*

»Während eines Urlaubes auf der Insel Föhr gab mir eine Bekannte Ihren Löwenzahn-Honig zu kosten und zeigte mir Ihr Buch, das ich mir dann auch kaufte. Seitdem haben uns Ihre Ratschläge sehr geholfen. Meine Mutter hatte ein **geschwollenes Knie**, einem Fußball ähnlich. Wir haben frische Spitzwegerichblätter darauf gelegt und die Auflagen dreimal wiederholt. Danach konnte meine Mutter das Knie wieder bewegen, auch die Schwellung ist zurückgegangen. – Vom Schwedenbitter, den die ganze Familie regelmäßig nimmt, sind wir begeistert.«

*Frau Christa G. aus M./BRD schreibt am 6. April 1982:*

»Mein Mann kann trotz einer Drittel **Niere** noch arbeiten, nachdem er den Tee aus der ‚Apotheke Gottes' trinkt, den Sie unter ‚Nierenschrumpfung' angeben (Labkraut, Goldrute und Gelbe Taubnessel zu gleichen Teilen). Wir haben auch einen nierentransplantierten Sohn. Seit mein Mann nun den angegebenen Tee trinkt, sagt der Arzt, der Befund der Niere sei jetzt stabil. Das ist ganz wunderbar!«

*Herr J. R. aus Bangkok/Thailand schreibt am 8. April 1982:*

»Ich lebe seit einiger Zeit in Bangkok und trinke, nachdem ich bei einem Deutschlandurlaub Ihr Buch ‚Apotheke Gottes' in die Hände bekam, Brennesseltee mit Schwedenbitter vermischt als ‚Grundstock'. Ich fühle mich seither selbst vor **tropischen Krankheiten** ziemlich sicher.«

*Frau Gertrude D. aus Wien schreibt am 8. April 1982:*

»Seit Dezember 1981 beschäftige ich mich intensiv mit Ihren beiden Broschüren und konnte mich einige Male von der großartigen Kraft der Heilkräuter überzeugen. Meine ganze Lebenseinstellung hat sich in den letzten Monaten geändert und mein Leben kommt mir jetzt sinnvoller vor.

In der Verwandtschaft meines Mannes bekommen alle Männer ziemlich bald eine Glatze. Auch bei meinem Mann konnte man schon leicht auf die Kopfhaut sehen. Der **Haarausfall** wurde immer stärker. Wir versuchten teure Präparate, die aber nicht halfen. Ärzte versicherten, daß es gegen Haarausfall nichts gäbe. In Ihrem Artikel über Brennessel fand ich Erfolg bei Haarausfall. Im Februar 1982 begannen wir mit einem Versuch. Vier Wochen lang setzte ich täglich eine Handvoll Brennesselwurzeln in kaltem Wasser, ca. 8 Stunden lang, an, gab noch vier Handvoll getrocknete Brennesselblätter dazu und erhitzte Wurzeln und Blätter bis zum Kochen und ließ ca. 5 Minuten ziehen. Nach dem Abseihen und Abkühlen spülte ich die Haare fünf Minuten lang. Da die Kopfhaut unrein war, rieb ich einige Stunden vor der Brennesselwäsche die Kopfhaut mit Schwedenbitter ein. Die Kopfhaut war nach einer Woche vollkommen in Ordnung. Wir konnten es kaum glauben, daß bereits nach zwei Wochen kleine Haare zu sehen waren. Seit dieser Zeit wachsen die Haare dicht nach und laufend kommen kleine Haare dazu. Jetzt werden in normalen Zeitabständen die Haare gewaschen und als letztes Spülwasser Brennesselabsud verwendet. Dazwischen reibe ich die Kopfhaut mit Brennesseltinktur ein.

———

In der ersten Märzwoche bekam mein Mann starke **Magenschmerzen**, so daß er alles erbrach. Der praktische Arzt vermutete eine Gastritis und schickte ihn zum Internisten. Beim Röntgen stellte sich heraus, daß sich die Gallenblase nicht fülle und daß ein ca. 3 cm großer Stein sich darin befindet. Die folgenden Untersuchungen erbrachten einen schlechten **Harnbefund**. Nun begann mein Mann täglich je zwei Tassen Brennessel- und Zinnkrauttee zu trinken und wegen des Gallensteines die Rettichsaftkur zu machen, außerdem nahm er Löwenzahnsaft vom Reformhaus. Vorige Woche ergab eine Untersuchung, daß der Harnbefund völlig normal sei, nur die Gallenblase füllte sich leider nicht. Sie hat nämlich ihre Funktion eingestellt. Da konnte der Rettichsaft beim besten Willen nicht helfen. Die Gallenblase muß operativ entfernt werden.

Eine Tante und eine Kusine haben ein **Blasenleiden**. Nach Trinken von Tee des Kleinblütigen Weidenröschens ließen in beiden Fällen die Schmerzen wesentlich nach.«

*Frau Maria K. aus L./BRD schreibt am 21. April 1982:*

»Ich kann heute mit Freude mitteilen, daß mein Bruder, der von Geburt aus rechtsseitig **gelähmt** ist, durch Kräuter aus Ihrer ‚Apotheke Gottes‘ Fortschritte macht. Seit ich ihn nun mit Kräutern behandle, kann er mit der rechten Hand ein Bügeleisen auf den Tisch heben und ist auch an und für sich kräftiger geworden. Nun habe ich es bei der Pflege viel leichter.«

*Frau Käthe H. aus L./BRD schreibt am 23. April 1982:*

»Der Himmel hat Sie mir durch Ihr Buch geschickt und mich von einem jahrelangen Leiden, nächtliche **Rückenschmerzen**, erlöst. Ich danke Ihnen tausendmal!«

*Frau Maria M. aus Sch./BRD schreibt am 1. Mai 1982:*

»Bei einem **Leberleiden** und einer **Arthrose** in der Hand konnte ich sehr gute Heilerfolge mit den von Ihnen angegebenen Kräutern in Ihrem großartigen Buch ‚Gesundheit aus der Apotheke Gottes‘ erzielen. Alles Gute und weiterhin viel Erfolg!«

*Schwester Maria Johanna Pf. aus L./DDR schreibt am 4. Mai 1982:*

»Durch Gottes Fügung habe ich Ihre so wertvolle Broschüre ‚Gesundheit aus der Apotheke Gottes‘ geschenkt bekommen. Mich drängt es, Ihnen für die Herausgabe dieser Broschüre herzlichst zu danken, Ihnen ein ganz inniges Vergeltsgott zu sagen. Sie müßten einmal sehen, wievielen Menschen hier diese Broschüre schon geholfen hat. Sie ist schon ganz abgegriffen vom vielen Lesen. Wir haben sehr gute Erfolge bei **Erkältungen, hohem und niedrigem Blutdruck** usw. mit den Heilkräutern gemacht. Sie helfen wirklich so, wie Sie es schreiben. Ich kann nur staunen und für alles sehr dankbar sein. (Schwester Maria Johanna arbeitet in einem Krankenhaus, Anmerkung der Autorin.)«

———

*Auch kranken Tieren helfen Heilkräuter:*

»In den Garten einer Bekannten kam Jahre hindurch eine weiße Katze, ein schönes, zutrauliches Tier. Eines Tages begann das Tier abzumagern, die Haare fielen aus und am Rücken zeigte sich ein häßlicher **Grind**, eine sogenannte **Räude**. Es war Winter und das Tier litt sichtlich unter dieser Erkrankung. Meine Bekannte hatte die Gewohnheit, während der Sommermonate Kräuter in ihrem Gartenhaus zu trocknen, unter anderem auch Brennesseln. Sie nahm einen Teil davon, füllte damit eine größere Schachtel und stellte sie in ein Eck, um dem kranken Tier zu helfen. Es nahm instinktmäßig sofort Besitz von der Schachtel und kuschelte sich tief hinein. Von Zeit zu Zeit wurden die alten Kräuter verbrannt und mit frisch getrockneten ersetzt. Es dauerte kaum einen Monat und das Kätzchen hatte wieder sein schönes, weißes und dichtes Fell, von einem häßlichen Grind war nichts mehr zu sehen.«

## Butter-Bienenwachs-Paste (Pasta antiphlogistica)

Äußerlich anzuwenden bei **Furunkeln, Abszessen, Bartholinitis** – nach Dr. Dirk Arntzen, Berlin

Ca. 4 Teile gelbes duftendes Bienenwachs (in Apotheken und Drogerien erhältlich als ‚Cera flava‘) werden im siedenden Wasserbad (z. B. in einem Glas, das in einem Topf steht) geschmolzen. Dann werden ca. 5 Teile frische, ungesalzene Butter zugefügt; das Ganze wird ca. ¼ bis ½ Stunde weiter erhitzt und dabei abgeschäumt, um das aus der Butter stammende Wasser soweit als möglich zu entfernen. Man kann, um die an sich schon sehr gute Wirkung noch weiter zu verbessern, auf ca. 100 g der Fettmischung bei Beginn des Erhitzens oder wenn die Butter zugefügt wird, noch ca. 3 bis 5 g getrocknete Ringelblumen (Calendula officinalis) zugeben. In diesem Fall muß nach Beendigung des Erhitzens durchgeseiht werden.

Aufbewahrung am besten bei Zimmertemperatur in einem Schraubglas unter ‚Silica-Gel‘, beim Apotheker als Streifchen oder Beutelchen erhältlich. Die Paste ist bei sorgfältiger Herstellung ohne Konservierungsmittel jahrelang haltbar! – Anwendung in dicker Schicht örtlich, darüber genügend Gaze.

Bei den erwähnten Entzündungen wird zugleich stündlich eine Tablette Hepar sulf. D 3 oder D 4 eingenommen; nach Entleerung des Eiters oder nach Abklingen der Entzündung, eventuell auch schon zu Beginn der Entzündung, werden einige Tabletten Hepar sulf. D 30 und zur endgültigen Ausheilung einige Tabletten (max. zehn) Silicea D 30 eingenommen. – Abszesse können auch durch Auflage von leicht angewärmtem Topfen (Quark) behandelt werden. Gute Erfolge!

# STICHWORTVERZEICHNIS

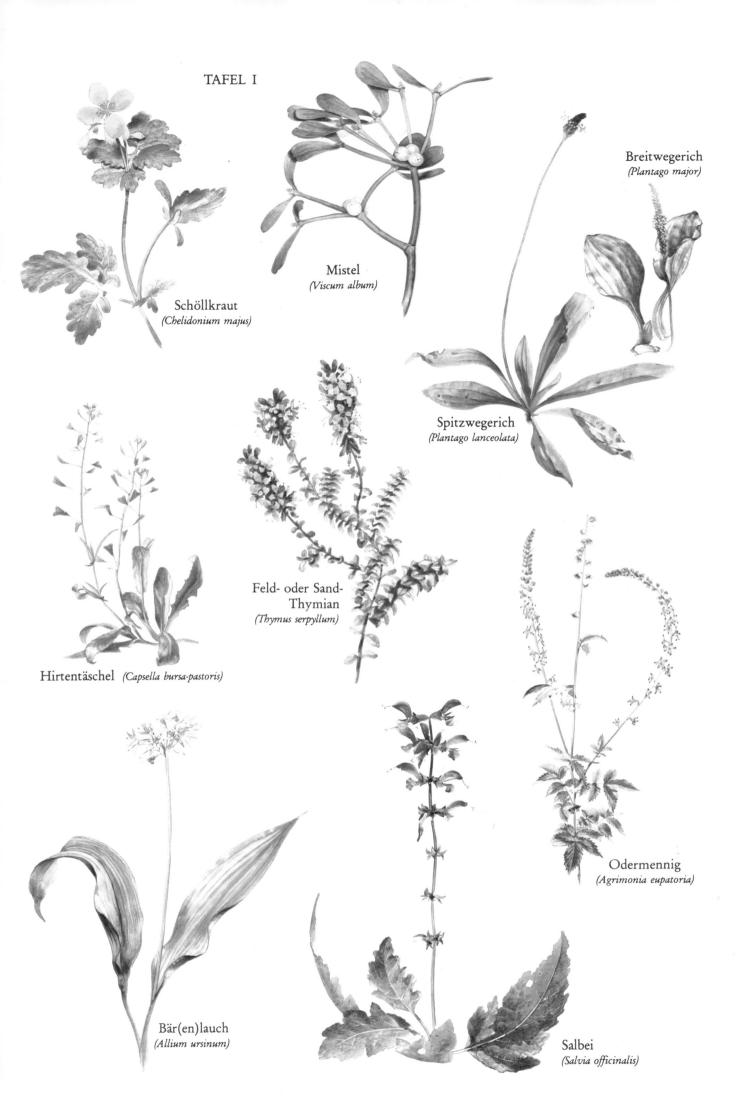

TAFEL I

Schöllkraut
*(Chelidonium majus)*

Mistel
*(Viscum album)*

Breitwegerich
*(Plantago major)*

Spitzwegerich
*(Plantago lanceolata)*

Hirtentäschel *(Capsella bursa-pastoris)*

Feld- oder Sand-
Thymian
*(Thymus serpyllum)*

Odermennig
*(Agrimonia eupatoria)*

Bär(en)lauch
*(Allium ursinum)*

Salbei
*(Salvia officinalis)*

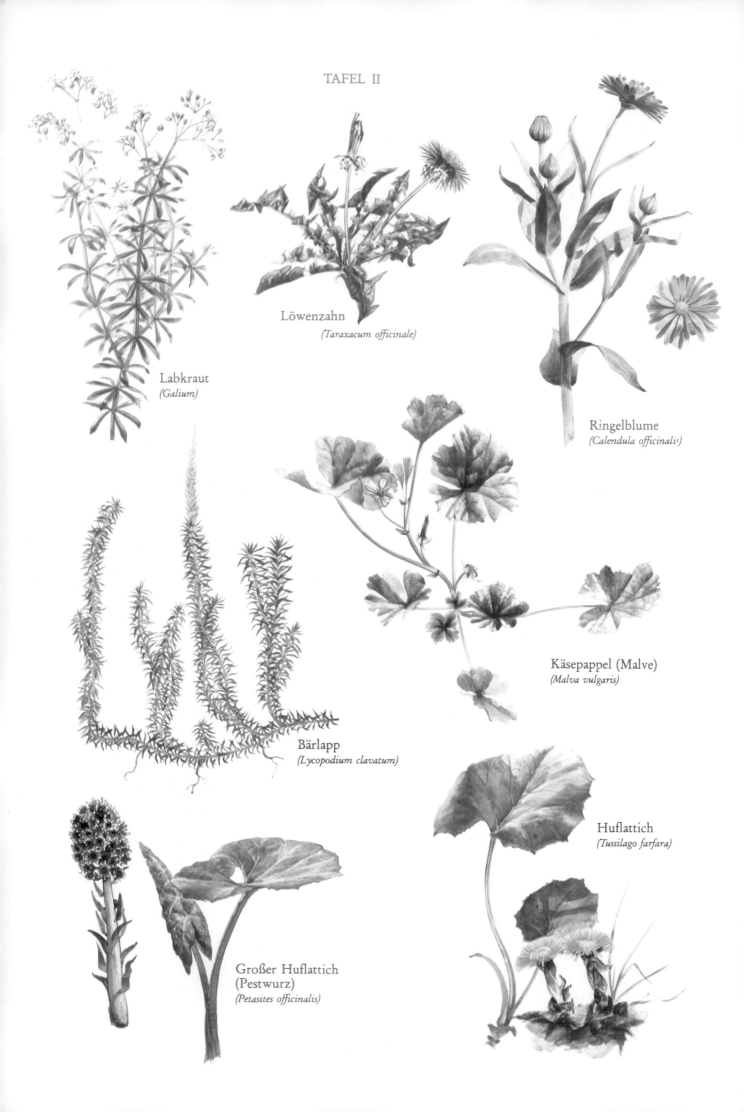

TAFEL II

Löwenzahn
*(Taraxacum officinale)*

Labkraut
*(Galium)*

Ringelblume
*(Calendula officinalis)*

Käsepappel (Malve)
*(Malva vulgaris)*

Bärlapp
*(Lycopodium clavatum)*

Huflattich
*(Tussilago farfara)*

Großer Huflattich
(Pestwurz)
*(Petasites officinalis)*

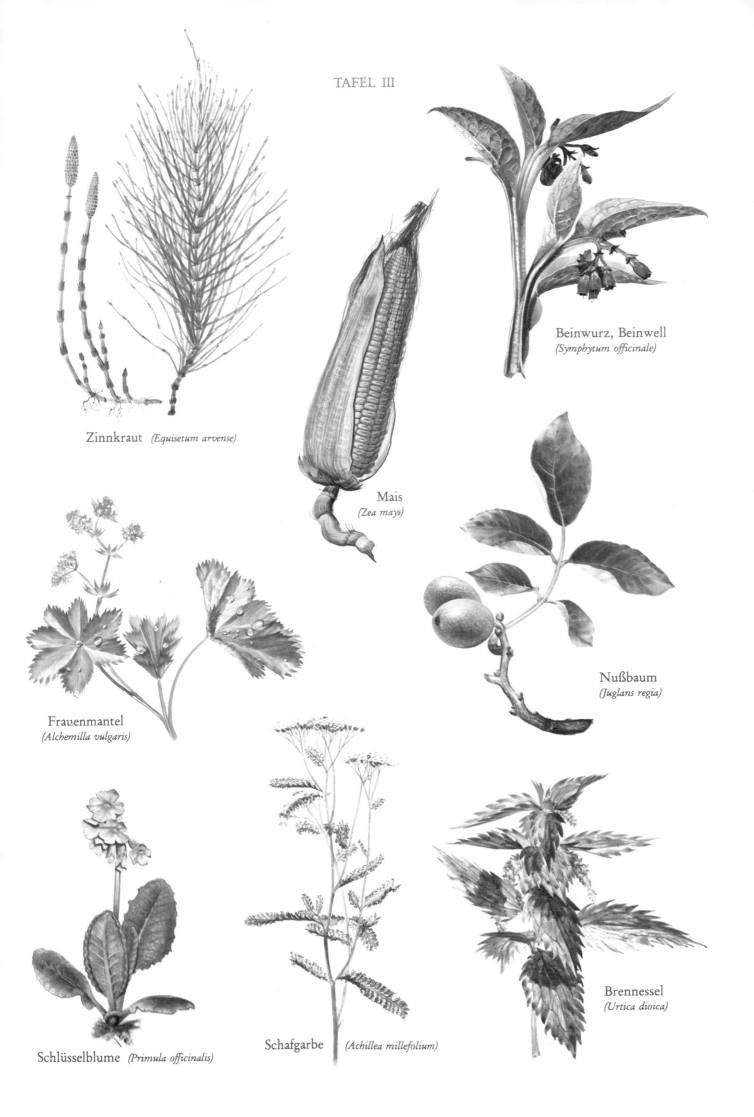

TAFEL III

Zinnkraut *(Equisetum arvense)*

Mais
*(Zea mays)*

Beinwurz, Beinwell
*(Symphytum officinale)*

Nußbaum
*(Juglans regia)*

Frauenmantel
*(Alchemilla vulgaris)*

Schlüsselblume *(Primula officinalis)*

Schafgarbe  *(Achillea millefolium)*

Brennessel
*(Urtica dioica)*

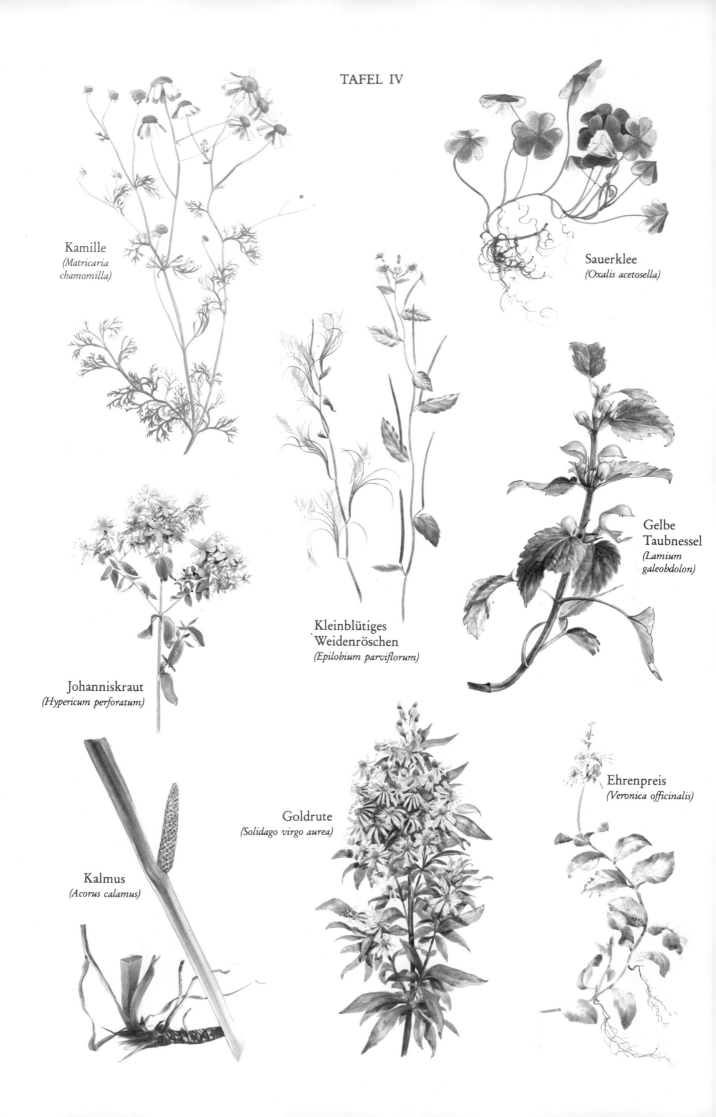

TAFEL IV

Kamille
*(Matricaria chamomilla)*

Sauerklee
*(Oxalis acetosella)*

Gelbe
Taubnessel
*(Lamium galeobdolon)*

Kleinblütiges
Weidenröschen
*(Epilobium parviflorum)*

Johanniskraut
*(Hypericum perforatum)*

Ehrenpreis
*(Veronica officinalis)*

Goldrute
*(Solidago virgo aurea)*

Kalmus
*(Acorus calamus)*